Hugo's Simplified Sys

L'anglais simplifié

Hugo's Language Books Ltd, London

Published by Hugo's Language Books Ltd

ISBN 0 85285 110 3

Written by

Saxon Menné

French translation by
Dominique Le Fur
for SMALL PRINT

Set in 9/11pt Times by
Typesetters Limited, Stanstead Abbotts, Herts
Printed and bound in Great Britain by
Anchor Brendon Ltd, Tiptree, Essex

Table des matières

Introduction

Vous avez décidé d'apprendre l'anglais. Bien. Et vous ne vous attendez pas à connaître cette langue d'ici à demain ou même d'ici à lundi prochain. Vous êtes prêt à y consacrer un peu de temps. Encore mieux. Si vous réservez quotidiennement un peu de temps et d'efforts à cet apprentissage, et si vous travaillez régulièrement, vous aurez acquis, après environ douze semaines, une bonne connaissance du fonctionnement de l'anglais moderne. Vous pourrez dire: 'Oui, je parle anglais, pas très bien, mais ... '

En tant que francophone, vous bénéficiez d'un avantage certain. Beaucoup de mots anglais viennent du latin ou du français et si vous voulez traduire 'pyramide' ou 'biennal', cela ne vous posera pas trop de problèmes: les termes anglais sont **pyramid** et **biennial.** En fait, vous connaissez déjà beaucoup de vocabulaire anglais, même si c'est à votre insu.

Ce cours comprend douze leçons, à répartir sur environ douze semaines d'étude. Chaque leçon a douze pages. Etudiez deux pages par jour.

Chaque section de deux pages a été conçue de façon à vous fournir assez de matériel à apprendre chaque jour. Le temps que vous passerez à son étude dépendra de votre rapidité d'assimilation et du degré de nouveauté que ce matériel aura pour vous. La majorité des gens ont besoin de 30 à 60 minutes pour apprendre deux pages complètement nouvelles. (Ne commettez pas l'erreur de penser 'dans ce cas, en deux heures, je peux apprendre le double et en quatre heures le quadruple'.) Au rythme de deux pages par jour, vous aurez terminé une leçon en six jours et donc les douze leçons en douze semaines.

Il est fort probable que vous disposerez de moins de douze semaines pour cet apprentissage. Dans ce cas, étudiez deux pages par jour (quatorze pages par semaine) pendant la période de temps que vous pouvez y consacrer. Les premières leçons traitent des constructions les plus courantes et il est préférable de bien les connaître plutôt que d'essayer d'ingurgiter tout le cours sans bien l'assimiler. Vous pourrez toujours continuer plus tard. Si vous vous souvenez de quelques bribes d'anglais appris à l'école, cela vous permettra peut-être de sauter quelques sections, mais attention à ce que vous faites. En règle générale, vous devrez résister à la tentation de parcourir les leçons à la hâte, même si vous les trouvez faciles. En fait, il faut laisser aux mots et aux phrases le temps de vous devenir familiers. Ceci implique non seulement de les apprendre lorsque vous les voyez pour la première fois mais aussi de laisser passer des jours, voire des semaines au cours desquels vous les recontrerez à nouveau, pour mieux les assimiler. Vous ne vous rendrez pas service en essayant d'écourter cette période.

Vous vous demandez peut-être comment il est possible de passer utilement de trente à soixante minutes à regarder deux pages. Voici quelques suggestions au cas où vous seriez à court d'idées:

* Cachez certaines portions d'une page pour mémoriser des mots et des phrases ou même fermez le livre et essayez de reconstruire les phrases de mémoire.

* Après avoir fait un exercice de traduction, ayez recours aux réponses données à la fin du livre pour les retraduire dans l'autre langue.

* Ecrivez les mots et les phrases que vous voulez apprendre (dix ou douze par jour serait un objectif honorable – mais mieux vaut six bons amis que douze qui vous restent étrangers). Gardez votre liste de mots et jetez-y un œil avant de vous coucher par exemple. Les sections de deux pages comportent plus de douze mots nouveaux; il vous faudra donc choisir.

* Entraînez-vous à prononcer les phrases. Parler fait appel à des qualités physiques. Il n'y a qu'en pratiquant que vous vous améliorerez. Parler anglais n'est pas une activité naturelle pour les mâchoires, les gorges, les langues et même les poumons habitués à prononcer du français. Vous devez entraîner vos muscles à bien se coordonner. Cinq ou dix minutes par jour pendant quelques jours feront toute la différence. Après tout, que diriez-vous à quelqu'un qui veut apprendre à faire du vélo ou à nager? Vous ne lui diriez pas 'Lis un livre'. Prononcez les phrases à voix haute: lentement, puis plus rapidement, puis plus fort, puis plus doucement, puis très doucement, puis très vite, tout simplement comme exercice physique.

* Répartissez le matériel à apprendre en deux ou trois parties au cours de la journée; passez par exemple vingt minutes à étudier le matin et vingt minutes le soir, pour être toujours frais.

* Construisez vos propres exemples, phrases et conversations pour essayer de bien vous imprégner des tournures nouvelles.

* Faites des retours en arrière pour reposer votre esprit au lieu d'aller plus avant.

Si vous butez sur une difficulté, essayez de l'aborder sous un angle différent. Par exemple, si un point de grammaire vous semble difficile à comprendre, utilisez les exemples comme exercices de prononciation ou essayez de retenir le vocabulaire. Si un point de grammaire ou d'usage vous pose problème et ne vous semble pas clair, ne vous inquiétez pas. Prenez-en note et revoyez-le une ou deux semaines plus tard. Entre temps, vous aurez rencontré d'autres exemples et tout vous semblera alors plus clair. Quant au reste, vous connaissez le processus d'apprentissage. Tout dépend de combien de jours vous y passez et de l'intensité avec laquelle vous faites fonctionner votre cerveau quand vous étudiez.

Voici maintenant une longue (mais pas plus longue que nécessaire) description de la prononciation en anglais. La plus grande partie, après les paragraphes d'introduction, ne prendra tout son sens que lorsque vous aurez appris un peu d'anglais. Etudiez donc section par section, après avoir couvert quelques leçons. Votre apprentissage sera évidemment facilité par l'écoute des cassettes, sur lesquelles vous entendrez parler des Britanniques et des Américains que vous pourrez imiter.

Prononciation

Consonnes

Consonnes sonores et sourdes

Le 'z' et le 's' de 'zeste', par exemple, sont articulés de la même façon, mais le 'z' est sonorisé tandis que le 's' est sourd. La plupart des consonnes se regroupent en paires, dont l'un des éléments est sonore et l'autre sourd. Prenez par exemple 'f' et 'v' ('f' est sourd mais 'v' est sonore) ou 't' et 'd'. Ayez ceci présent à l'esprit lorsque vous apprenez les règles de prononciation en anglais.

Sons difficiles

La plupart des consonnes anglaises se prononcent comme en français. Mais les consonnes suivantes posent quelques problèmes aux francophones:

th La plupart des francophones se contentent de produire un 's' ou un 'z' lorsqu'ils voient **th**. En fait la langue devrait sortir un peu de la bouche et toucher les dents de la mâchoire supérieure pour produire un son comparable au zézaiement d'un enfant.

h Le **h** n'est muet que dans très peu de mots, par exemple: **hour** (heure), **honest** (honnête). En général on le prononce en expirant légèrement. (Dans certains dialectes, en particulier ceux parlés dans les quartiers les moins élégants de Londres, le **h** ne se prononce jamais. Nous vous recommandons d'essayer de le prononcer.)

Toutes les consonnes sont présentées ici sous leur forme écrite. Dans les leçons, les lettres entre crochets servent de transcription phonétique. Pour les mots nouveaux introduits dans les exercices, vous en trouverez la transcription phonétique dans l'index.

p	[P]		**b**	[B]
t	[T]		**d**	[D]
k	[K]		**g**	[G]
f	[F]		**v**	[V]
th	[TH]	langue entre les dents, zézaiement		
th	[DH]	comme plus haut, mais sonore		
s	[S]			
z	[Z]			

sh	[CH]	comme dans 'chou'
s	[ZH]	comme dans 'jeune'
ch	[TCH]	comme dans 'tchèque'
j	[DZH]	comme dans 'Djibouti'
h	[H]	expirez
m	[M]	
n	[N]	
ng	[NG]	comme dans 'camping'
l	[L]	
r	[R]	articulé avec le bout et non l'arrière de la langue
y	[Y]	comme dans 'yeux'
w	[ou]	comme dans 'oui' – mais raccourcissez le son 'ou' autant que vous le pouvez.

Voyelles

Toutes les voyelles anglaises sont différentes des voyelles françaises. Pour réussir à les prononcer, vous devez détendre les muscles de votre bouche un peu plus qu'à l'habitude. La description des sons donnée ici ainsi que leur transcription phonétique vous permettront d'être compris des anglophones.

N'oubliez pas, quand vous lisez la transcription phonétique, de prononcer chaque lettre séparément. [ON], par exemple, ne signifie pas que l'on a affaire au même son que le 'on' français mais à un 'o' suivi d'un 'n', comme dans 'sonne'. Si vous prononcez les mots anglais de la même façon que les mots français, vous ne serez tout simplement pas compris. Mais ne vous inquiétez pas si votre accent en anglais n'est pas parfait – tous les anglophones trouvent l'accent français tout à fait charmant.

1	[i]	**sit**	Semblable au 'i' de 'idéal', mais plus court. Relâchez un peu les muscles de votre bouche.
2	[I]	**sea**	Semblable au 'i' de 'idéal', mais un peu plus long.
3	[E]	**end**	Semblable au 'è' de 'mère' mais plus court.
4	[AE]	**hat**	Semblable au 'a' de 'Afrique', mais articulé plutôt dans la partie antérieure de la bouche, le son se rapprochant ainsi de 'è'.
5	[AR]	**palm**	Plus long et plus sonore que le 'a' de 'Afrique'. Essayez de la prononcer en baîllant.
6	[O]	**plot**	Très semblable au 'o' de 'loterie' en anglais britannique, mais plus proche du 'a' en anglais américain.
7	[OR]	**talk**	Semblable au 'or' de 'corps'. Relâchez les muscles.
8	[u]	**put**	Comparable au 'ou' de 'mou', mais plus court. Relâchez les muscles. Il s'agit presque d'un grognement.
9	[U]	**roof**	Semblable au 'ou' de 'mou', mais un peu plus long.
10	[A]	**but**	Proche du 'a' de 'passer' mais plus court.
11	[ER]	**girl**	Proche du son 'heure', mais relâchez vos muscles.

12	[e]	**Texas**	Apparaît dans une syllabe non accentuée, par exemple dans la deuxième partie de mots tels que **London, Europe, Ireland.** Semblable au son produit lorsque le 'e' est avalé, comme dans 'p'tit'. Essayez de dire 'Tex's'. C'est en fait une compression des voyelles 10 ou 11.

Voici maintenant des combinaisons de voyelles (diphtongues):

13	[EI]	**way**	Semblable au 'é' de 'blé' suivi de 'i': 'blé-i'.
14	[OU]	**boat**	Semblable à 'eau' se terminant par un léger son 'ou'. Beaucoup de francophones ont du mal à la distinguer de la voyelle 7.
15	[AI]	**smile**	Semblable au son dans 'paille', mais avec un 'a' moins ouvert.
16	[AU]	**out**	Semblable au 'aou' de 'caoutchouc', mais avec un 'a' moins ouvert.
17	[OI]	**boy**	'o' suivi de 'i'.
18	[IA]	**here**	'i' suivi de 'e', comme dans 'cire', mais la fin de la diphtongue très brève.
19	[EA]	**air**	Semblable au 'è' de 'père', mais prononcé avec les muscles relâchés et suivi d'un 'e' très bref.
20	[UA]	**tour**	Semblable au 'ou' de 'mou' suivi d'un 'e' très bref.

Les sons 5, 7 et 11 se rencontrent souvent là où, à l'écrit, on a une voyelle, suivi d'un **r**: **farm, fork, bird** (ferme, fourchette, oiseau). L'anglais britannique ne prononce pas ce **r** au contraire de l'anglais américain. Ceci vaut également pour les diphtongues 18, 19 et 20, et parfois aussi pour la voyelle 12. Ce son, apparaissant dans presque toutes les syllabes non accentuées, ne se reconnaît pas immédiatement à l'écrit et peut être représenté par une voyelle suivi d'un **r**. Si, dans la transcription phonétique, vous voyez [HER] ou [HERD] (voyelle 11) c'est-à-dire un **r** suivi d'une consonne ou de rien, prononcez le **r** pour obtenir un son américain mais ne le prononcez pas en anglais britannique. Si le **r** est suivi d'une voyelle, vous devez forcément le prononcer: **right** [RAIT].

Epeler à haute voix

Voici la transcription phonétique de l'alphabet anglais:

A	[EI]	**H**	[EITCH]
B	[BI]	**I**	[AI]
C	[SI]	**J**	[DZHEI]
D	[DI]	**K**	[KEI]
E	[I]	**L**	[EL]
F	[EF]	**M**	[EM]
G	[DZHI]	**N**	[EN]

O [OU]
P [PI]
Q [KYU]
R [AR]
S [ES]
T [TI]
U [YU]
V [VI]
W [DABeLYU]
X [EKS]
Y [ouAI]
Z [ZI] (en américain) ou [ZED] (en anglais britannique)

Entraînez-vous. Epelez votre nom en anglais (comme vous devriez le faire au téléphone pour quelqu'un qui ne connaît pas le français). Puis épelez d'autres noms; celui de votre rue et de votre ville, celui de vos père et mère.

L'accent tonique

Les mots anglais portent tous un accent tonique sur au moins une de leurs syllabes. Le mot **English**, par exemple, est accentué sur la première syllabe, [iNGGLiCH]; **arrive** est accentué sur la seconde, [ARAIV]. Ceci se différencie nettement du schéma français, dans lequel toutes les syllabes sont accentuées avec pratiquement la même force. Prenez-en donc bonne note.

La difficulté de compréhension de l'anglais réside dans le fait que les syllabes non accentuées deviennent souvent très affaiblies: [iNGGLeCH], [eRAIV]. Cette transcription donne une prononciation tout à fait correcte de ces mots. En écoutant un Anglais à la prononciation parfaite, un journaliste à la télévision par exemple, vous espérez reconnaître un mot mais vous n'entendez qu'un fragment de ce mot. Vous pensez alors qu'il s'agit d'un mot qui vous est totalement étranger ou que vous êtes à l'écoute du dialecte pidgin. Si vous voulez comprendre l'anglais parlé, attendez-vous toujours à n'entendre que des syllabes accentuées dispersées au milieu de syllabes affaiblies.

La difficulté de prononciation d'un mot est en partie liée à la détermination de la syllabe à accentuer. Avant d'aller plus loin, un conseil: si vous êtes dans le doute, n'essayez pas de deviner. Si vous n'êtes pas sûr de vous, prononcez chaque syllabe distinctement, comme vous le feriez en français. Vos interlocuteurs vous comprendront très bien et s'émerveilleront devant votre charmant accent français. Par contre, si vous accentuez la mauvaise syllabe, personne ne vous comprendra. [AERAIV] passera pour **arrive** mais [AEReV] ne sera pas compris du tout.

Dans certains cas, le déplacement de l'accent dans un mot lui confère un nouveau sens. **Record** [ReKORD] est la transcription phonétique de **to record** (enregistrer); **record** [REKeD] celle de **a record** (un disque). **Transport** prononcé [TReNSPORT] signifie 'transporter'; prononcé [TRANSPeT], cela signifie 'le transport'. Dans les deux cas, le verbe est accentué à la fin.

Un mot composé est généralement accentué sur la première syllabe: **greenhouse** [GRIN HAUS] (serre). **Green house** [GRIN HAUS] est une maison verte.

Comme vous le voyez, l'accent tonique fait partie intégrante de la grammaire anglaise et n'est pas du tout le produit d'une certaine paresse à parler, comme le croient la plupart des francophones.

Dans les leçons, la syllabe qui porte l'accent tonique est soulignée. Tout bon dictionnaire a un moyen graphique d'indiquer l'accent dans un mot. Différents dictionnaires emploient différents symboles. Il est donc utile de vérifier la présentation avec un mot dont vous connaissez déjà l'accentuation.

Les mots d'une seule syllabe ne posent aucun problème. Avec les mots de deux syllabes, il est parfois possible de prévoir où se trouve l'accent, car un suffixe ou un préfixe est souvent en position affaiblie:

arrange, reverse, invite, success
[eREINDZH ReVERS iNVAIT SeKSES]
ration, army, native, central
[RAECHeN ARMI NEITiV SENTReL]

Autrement, la syllabe accentuée a plus de chances d'être la première (mais faites attention à chaque mot nouveau).

Pour les mots de plus de deux syllabes, il existe des règles assez simples à énoncer et applicables dans 90% des cas (ce qui n'est pas un mauvais pourcentage, somme toute). En fait, il y a une règle, avec quelques exceptions. La voici:

American, photograph, photographer, psychologist, thermometer
[eMERiKeN FOUTeGRAF FeTOGReFA SAIKOLeDZHiST THeMOMiTA]

Comptez les syllabes en partant de la fin du mot. La troisième est accentuée. Si le mot est plus long ou plus court, l'accent se déplace de façon à être toujours sur la troisième syllabe avant la fin:

photograph [FOUTeGRAF], **photographer** [FeTOGReFA], **psychology** [SAIKOLeDZHI] (remarquez la grande différence de prononciation par rapport au français), **psychological** [SAIKeLODZHiKeL].

Les mots de trois syllabes sont donc souvent accentués sur la première syllabe.

La même règle s'applique aux mots beaucoup plus longs, mais une des syllabes en tête du mot reçoit souvent un léger accent pour rendre la prononciation plus claire. Ainsi, avec le mot de 7 syllabes **meteorological**, l'accent principal se trouve vers la fin [LODZHiKeL], mais un accent secondaire apparaît également au début: [MITIeReLODZHiKeL]. En fait, les Anglais eux-mêmes n'arrivent à prononcer correctement ce mot qu'après beaucoup de concentration et de faux départs.

Première appendice à cette règle simple, bien qu'un peu bizarre: elle ne s'applique pas aux mots terminés par **-ic** ou **-ion**. Il vous faut alors compter deux syllabes seulement à partir de la fin:

photographic, republic, fantastic
[FOUTeGRAEFiK RePABLiK FANTAESTiK]
explanation, explosion, revolution
[EKSPLeNEICHeN eKSPLOUZHeN REVeLUCHeN]

Deuxième appendice: cette règle ne s'applique pas aux mots terminés par **-ee**, ni ceux terminés par le son [IA] (écrit **-eer**, **-ier**, etc.). Vous devez alors accentuer la dernière syllabe:

referee, guarantee, employee
[REFeRI GAEReNTI EMPLeYI]
engineer, disappear, persevere
[ENDZHiNIA DISePIA PERSeVIA]

Le troisième et dernier appendice concerne les fins grammaticales telles que **-ing** ou **-ly** (si vous ne les avez pas encore rencontrées, laissez cette section de côté et n'y revenez qu'après avoir assimilé la leçon où elles apparaissent). Ces fins grammaticales n'affectent pas le schéma accentuel du mot, bien qu'elles y ajoutent une syllabe: **recognize, recognizing** [REKeGNAIZ(iNG)]; **diplomatic**, **diplomatically** [DiPLeMAETiK(LI)]; **estimate, estimated** [ESTeMEIT(iD)].

Cette règle est bien connue des anglophones. Lorsqu'un terme nouveau apparaît dans les journaux, ils savent exactement quelle syllabe accentuer: **video** [ViDiOU] (règle de base), **aerobics** [EAROUBiKS] (appendice un), **videoing** [ViDiOUiNG] (appendice trois).

Exercice A

Quelle syllabe doit-on accentuer?

1 **international**
2 **internationally**
3 **economist**
4 **economics**
5 **mountaineer**
6 **mountaineering**
7 **communism**
8 **communicate**
9 **communicated**
10 **direction**
11 **automatically**
12 **organization**

L'accent de phrase

L'accentuation dans les phrases n'est pas un problème qui se pose lorsqu'on lit ou que l'on écrit en anglais. Même à l'oral, vous pouvez vous faire comprendre en calquant le schéma accentuel du français. Mais si vous écoutez de l'anglais, c'est différent. Il est assez difficile de comprendre une langue étrangère parlée dans les meilleures conditions. Si, en plus, cette langue suit des règles auxquelles vous ne vous attendez pas, la tâche se complique sérieusement.

Vous vous êtes sans doute rendu compte que l'anglais et le français n'obéissent pas du tout aux mêmes règles de prononciation. Les mamans françaises disent à leurs enfants 'Prononce chaque syllabe, ne mange pas les mots' et à juste titre, parce que le français donne une grande importance aux syllabes. Mais les mamans britanniques ou américaines ne diront jamais cela à leurs rejetons, parce qu'elles savent, plus ou moins inconsciemment, que l'anglais fonctionne en accentuant certaines syllabes.

Cette phrase, dite normalement, porte trois accents:

I've ordered some coffee and a cake. J'ai commandé du café et un gâteau.
[AIV ORDeD SeM KOFI eND e KEIK]

Vous voyez ce qui se passe. Les mots importants sont accentués. Les mots de deux syllabes ou plus ne sont accentués que sur la syllabe qui porte normalement l'accent. Les autres syllabes de la phrase sont affaiblies.

Chacune des phrases suivantes porte trois accents:

I'll go home now. Je vais à la maison maintenant.
[AIL GOU HOUM NAU]
I'm going to Spain tomorrow. Je vais en Espagne demain.
[AIM GOUiNG Te SPEIN TeMOROU]
I'm going to America tomorrow. Je vais en Amérique demain.
[AIM GOUiNG Te eMERiKA TeMOROU]
I'll be returning from America in October. Je rentre d'Amérique en Octobre.
[AIL Bi ReTERNiNG FReM eMERiKA eN eKTOUBA]

Les mots importants sont accentués sur leurs syllabes fortes tandis que les autres syllabes sont affaiblies. La longueur de ces dernières est déterminée par leur nombre avant le prochain accent. C'est comme si vous deviez chanter en battant la mesure. Si vous devez dire six mots entre deux temps forts, ils vous faudra les prononcer plus rapidement que s'il n'y en avait que deux et leurs syllabes vont donc s'affaiblir. L'anglais parlé fonctionne de façon rythmique. Dans les exemples ci-dessus, la troisième phrase sera dite dans le même espace de temps que la seconde, bien qu'elle contienne trois syllabes de plus. Le rythme reste régulier. Pour une phrase très longue, le rythme ne fera que ralentir un peu. La dernière phrase prendra sans doute un peu plus de temps à dire que la première, mais pas autant que vous pourriez le croire.

Vous voyez maintenant les problèmes qui se posent à vous lorsque vous écoutez de l'anglais. Vous entendrez le son [ND] ou [N] là où vous attendriez [AEND] 'et'. 'Pourquoi ces gens ne prononcent-ils pas tout clairement?' vous demanderez-vous. C'est que le pauvre locuteur n'a pas le temps de s'attarder sur le **and**, car le prochain temps fort est déjà là. Ne soyez donc pas surpris si les conversations en anglais sont ponctuées de 'Pardon' et 'Pouvez-vous répéter?'!

Il est bon souligner que ces schémas accentuels sont caractéristiques de l'anglais américain et australien comme de l'anglais britannique. Loin d'être le produit d'une prononciation laxiste, ils font partie intégrante du discours de toute personne parlant anglais correctement, en passant par la Reine d'Angleterre, un Professeur d'anglais à Cambridge et même un chauffeur de taxi new-yorkais. L'accent de phrase est un trait fondamental de l'anglais depuis plus de mille ans.

Il vous arrivera d'entendre **and** prononcé [AEND] lorsque le locuteur voudra insister sur ce mot de liaison:

He was late. And he was drunk. Il était en retard. Et qui plus est, il était ivre. [Hi WeZ LEIT. AEND Hi WeZ DRANK]
I can do it. [AI KeN DU iT] Accent normal, 'Je peux le faire'.
I can do it. [AI KAEN DU iT] Cela peut signifier 'Je peux le faire, mais je ne le ferai pas', ou bien 'Bien sûr que je peux le faire, crois-moi', mais pas 'Je peux le faire'.

A moins qu'il ne veuille insister sur un élément particulier de la phrase, le locuteur accentue les syllabes fortes des mots importants, séparées alors par des syllabes faibles. Soyez bien attentif.

Exercice B

Chaque phrase doit porter trois accents. Où sont-ils?

1 **I'll order two cups of coffee.**	Je vais commander deux tasses de café.
2 **Can you tell me the way to the station?**	Pour aller à la gare, s'il vous plaît?
3 **By tomorrow it'll feel a lot easier.**	D'ici à demain ça paraîtra beaucoup plus facile.
4 **I think they'll arrive about ten.**	Je crois qu'ils arriveront vers 10h.
5 **It's going to rain tomorrow night.**	Il va pleuvoir demain soir.
6 **The boy's at school now.**	Le garçon est à l'école maintenant.
7 **You said you'd love me for ever.**	Tu m'as dit que tu m'aimerais toujours.
8 **How much does a big one cost?**	Combien coûte un grand?

Intonation

Le dernier aspect de la prononciation est la façon dont le ton monte ou descend dans le discours. En général, l'intonation anglaise est descendante. Certains disent même qu'il est impossible de prononcer une voyelle relâchée sans faire descendre le ton, et vice versa; l'un entraîne l'autre.

L'intonation est progressivement descendante dans la phrase. En fait, le ton descend après chaque voyelle accentuée (voir la section précédente sur l'accent de phrase), se maintient sur chaque syllabe faible, puis redescend pour chuter à la fin de la phrase:

It's about eighty miles from Houston C'est à environ quatre-vingts miles de Houston

[iTS eBAUT EITI
MAILZ FReM
HYU
STeN]

Ce schéma est également celui des questions qui débutent par un mot interrogatif tel que **What?** ou **Why?** (là encore, si vous n'avez pas rencontré ces mots, attendez d'avoir abordé les leçons qui en traitent avant de vous attacher à l'intonation). Les phrases suivantes sont dites avec une intonation descendante, et une chute du ton sur la dernière syllabe faible:

Where do you come from? [OuEA De Yu KAM FReM] D'où viens-tu?
How much did it cost you? [HAU MATCH DiD iT KOST YU] Combien cela t'a-t-il coûté?

L'autre type de questions, commençant par **Do you?, Is he?** etc., ont pratiquement le même schéma intonatif mais la voix monte un peu à la fin:

Have you ever flown in a helicopter? Es-tu déjà allé dans un hélicoptère?

[HAEV Yu EVA
FLOUN iN A TA]
HELiKOP

La montée du ton est plus sensible lorsque la question (des deux types) proprement dite est suivie d'autres mots:

What are you trying to do, young lady? Qu'essayez-vous de faire, mademoiselle?

[OuOT A Yu DI]
TRAIiNG Te LEI
DU YANG

L'intonation ascendante signifie soit que vous sollicitez une réponse de votre interlocuteur, soit que vous n'avez pas terminé votre phrase. **I can get you some coffee or tea**. Cette phrase, dite avec une intonation descendante, signifie 'Je peux t'offrir du café ou du thé'. Si le ton monte sur **tea**, c'est-à-dire à la fin de la phrase, cela suppose une suggestion telle que 'ou peut-être préfères-tu un jus d'orange ou une bière'. A vous d'interpréter si le locuteur veut dire 'Alors réponds-moi, dis quelque chose' ou plutôt 'Attends que j'ai fini d'énumérer les boissons'. En tout cas, l'intonation montante est beaucoup plus pleine de sens que l'intonation descendante.

Vous entendrez bien d'autres schémas intonatifs en anglais. Les différents tons sont plus que des changements de hauteur de voix, ils sont essentiellement porteurs de sens. Des montées ou des chutes de ton très prononcées expriment l'enthousiasme, la surprise ou le doute. Des montées ou des chutes peu sensibles tendent à exprimer quelque chose de négatif, tel que l'hostilité ou l'ennui. Vous pouvez essayer de dire **hello** de huit ou dix façons différentes – légère intonation descendante, brusque chute de ton, montée et descente de ton, ton égal sur les deux syllabes, légère intonation montante, etc. – pour familiariser votre voix et votre ouïe avec toutes ces variations de ton.

Réponses aux exercices

Exercice A: 1 international 2 internationally 3 economist 4 economics 5 mountaineer 6 mountaineering 7 communism 8 communicate 9 communicated 10 direction 11 automatically 12 organization

Exercice B: 1 order, two, coffee 2 tell, way, station 3 tomorrow, feel, easier 4 think, arrive, ten 5 going, rain, night 6 boy's, school, now 7 said, love, ever 8 How, big, cost

Leçon 1

1 Pronoms personnels

I [AI] je — **we** [ouI] nous
you [YU] tu, vous
he [HI] il (homme ou garçon)
she [CHI] elle (femme ou fille) — **they** [DHEI] ils, elles
it [iT] il/elle (non animé)

2 be (être)

Présent

I am [AI AEM] je suis — **we are** [ouI AR] nous sommes
you are [YU AR] tu es, vous êtes
X is [iz] X est — **they are** [DHEI AR] ils/elles sont

Vous voyez que ce verbe, en anglais comme en français et beaucoup d'autres langues, est irrégulier. Apprenez-le bien.

Exercice 1

Complétez les phrases suivantes:

1	**He ... American.** [eMERiKeN]	Il est américain.
2	**We ... French.** [FRENCH]	Nous sommes français.
3	**... ... English.** [iNGGLiCH]	Elle est anglaise.
4	**The man ... African.** [DHA MAEN;AEFRiKeN]	L'homme est africain.
5	**... ... English.**	Je suis anglais(e).
6	**... ... Italian.** [iTALYeN]	Vous êtes italiens.
7	**... ... American.**	Ils sont américains.
8	**The capital of Italy ... Rome.** DHA KAEPiTeL OV]	La capitale d'Italie est Rome.

3 Formes interrogative et négative

Pour poser une question, placez le verbe en tête de phrase: **Am I?** suis-je? ; **Are they?** sont-ils?, sont-elles? Pour former une phrase négative, placez **not** après le verbe. Ainsi, vous direz **It is not English** [iT iZ NOT iNGGLiCH] Ce n'est pas anglais'.

Exercice 2

Complétez les phrases suivantes:

1	**... he English?**	Est-il anglais?
2	**... ... ...?**	Êtes-vous/Es-tu anglais?
3	**... ... ...?**	Est-elle africaine?
4	**She is ... American.**	Elle n'est pas américaine.
5	**Rome ... ... the capital of France.**	Rome n'est pas la capitale de la France.

4 Adjectifs

Comme vous le voyez, en anglais les adjectifs ne changent pas de forme. **Italian** traduit à la fois 'italien(s)' et 'italienne(s)'. L'anglais n'est-il pas facile? Cependant, notez que les adjectifs de nationalité s'écrivent tous avec une lettre majuscule.

5 Formes abrégées

Il est très courant d'utiliser des formes abrégées de **be**. La voyelle est remplacée par une apostrophe: **you are** devient **you're** [YOR] (tu es, vous êtes); **I am** devient **I'm** [AIM] (je suis); **we are** devient **we're** [OUIA] (nous sommes).

Exercice 3

Complétez les phrases suivantes, en utilisant les formes abrégées:

1	**She's (She is) ... .**	Elle est américaine.
2	**We're (We are) ... .**	Nous sommes africains.
3	**It's not ... .**	Ce n'est pas anglais.
4	**...**	Je ne suis pas italien(ne).
5	**...**	Elles ne sont pas américaines.
6	**Are ...? No, ... not.** [NOU]	Es-tu français? Non, je ne le suis pas.
7	**...? Yes, ...** [YES]	Es-tu anglais? Oui, je suis anglais.
8	**... American? ..., ... American.**	Est-il américain? Non, il n'est pas américain.

CONVERSATION

Pat	**Hello.**	Bonjour.
Chris	**Hi!**	Salut!
Pat	**How are you?**	Comment vas-tu? (litt: es-tu)
Chris	**I'm well, thanks.**	Je vais bien, merci.
	And you? Are you well?	Et toi? Tu vas bien?
Pat	**No, I'm not well.**	Non, je ne vais pas bien.
Chris	**No?**	Non?
Pat	**No. I'm fed up.**	Non. J'en ai assez.
Chris	**Are you?**	Vraiment?

[HeLOU, HAI, HAU, OUEL, THAENGKS, eND, FED AP]

6 the (le, la, les)

the boy, the girl, the boys [DHA BOI, GERL, BOIZ] — le garçon, la fille, les garçons

Il n'y a qu'un article défini en anglais, le mot **the**. Vous voyez, c'est facile. Mais faites attention à la prononciation. Devant une consonne, dites [DHA] et devant une voyelle [DHI].

the morning, the night [DHA MORNiNG, DHA NAIT] le matin, la nuit
the afternoon, the evening [DHI ARFTeNUN, DHI IVNiNG] l'après-midi, le soir

7 Nombres

1 **one** [OUAN]
2 **two** [TU]
3 **three** [THRI]
4 **four** [FOR]
5 **five** [FAIV]
6 **six** [SiKS]
7 **seven** [SEVeN]
8 **eight** [EIT]
9 **nine** [NAIN]
10 **ten** [TEN]

Exercice 4

Entraînez-vous à utiliser ces nombres avec les heures données ci-dessous:

1 04.00 **It's ... in the morning.** [iN] Il est 4 heures du matin.
2 16.00 **It's ... in ... afternoon.** Il est 4 heures de l'après-midi.
3 22.00 **It's ... evening.**
4 05.00 **...**
5 13.00 **...**
6 03.00 **...**
7 14.00 **...**
8 21.00 **...**
9 **Is 05.00 five in the afternoon?** Est-ce que 5.00, c'est 5 heures du soir?
No, ... Non, c'est 5 heures du matin.
10 **Is 20.00 eight in the evening?**
Yes, ...
11 **Is 18.00 six in the morning?**
... Non, c'est ...
12 **Is 19.00 nine in the morning?**
...
13 **Is 09.00 eight in the evening?**
...

8 Salutations

Hello est le moyen de saluer le plus courant. **Hi** est familier et correspond à notre 'Salut'. **Good morning, Good afternoon, Good evening** sont plus formels. Dites **Good afternoon** après le déjeuner jusque vers 17 heures ou 18 heures, dites **Good evening** ('Bonsoir') après 17 heures ou 18 heures jusqu'au lendemain matin. **Good night** ('Bonne nuit') s'emploie lorsque quelqu'un va se coucher, pour prendre congé. Apprenez aussi les expressions suivantes:

How are you?	Comment allez-vous? Comment vas-tu?
Please. Yes please.	S'il vous plaît. Oui, s'il vous plaît.
Thank you. No, thank you.	Merci. Non merci.

[HeLOU, HAI, GuD MORNiNG, GuD ARFTeNUN, GuD IVNiNG, GuD NAIT, HAU AR YU, PLIZ, YES PLIZ, THAENGK YU, NOU THAENGK YU]

Exercice 5

Que dites-vous à ces moments de la journée et en ces occasions?

1 10.00 **Good m...** — Bonjour.
2 16.00 **Good a...** — Bonjour.
3 20.00 **Good e...** — Bonsoir.
4 22.00 **...** — Bonsoir.
5 14.00 **...** — Bonjour.
6 Quand on vous demande si vous êtes anglais. (Non, je suis ...)
7 Quand on vous offre à boire mais que vous refusez. (Non, merci.)
8 Quand on vous offre à boire et que vous acceptez. (Oui, s'il vous plaît.)
9 Quand vous rencontrez quelqu'un que vous connaissez. (Bonjour, comment ça va?)
10 Quand quelqu'un dit 'Je vais me coucher maintenant.' (Bonne nuit.)

CONVERSATION

Sam	**Hello! How are you this morning?**	Salut! Comment vas-tu ce matin?
Les	**I'm fine, thank you, but it's not morning, it's afternoon.**	Je vais bien merci, mais midi est déjà passé.
Sam	**Is it? Well, well. How are the family? Are they OK?**	Ah bon? Enfin, comment va ta famille? Bien?
Sam	**Yes, they're OK.**	Oui, tout le monde va bien.
Les	**Good.**	Parfait.

[DHiS, FAIN, BAT, FAEMeLI, OU KEI]

9 Verbes

On emploie la forme simple du verbe pour donner des ordres: **work, go, stop** [WERK, GOU, STOP] ('travaille/travaillez, va/allez, arrête/arrêtez'). La plupart des formes du présent sont les mêmes:

I work je travaille		**we work** nous travaillons	
	you work tu travailles, vous travaillez		
X works X travaille		**they work** ils travaillent	

Comme vous le voyez, on emploie la forme de base du verbe, mais il y a toujours un **s** à la troisième personne du singulier. Cela peut paraître étonnant, mais beaucoup de Français oublient ce détail si simple lorsqu'ils parlent anglais. C'est comme s'ils disaient alors en français 'elle travailler'! Il y a là encore des changements dans la prononciation. Regardez les exemples suivants:

live	**he lives**	[Z]	[HI LiVZ]	il habite/vit
come	**it comes**	[Z]	[iT KAMZ]	il vient
go	**it goes**	[Z]	[iT GOUZ]	il va/part
ask	**she asks**	[S]	[CHI ARSKS]	elle demande
stop	**she stops**	[S]	[CHI STOPS]	elle s'arrête
close	**it closes**	[iZ]	[iT KLOUZiZ]	il ferme
finish	**he finishes**	[iZ]	[HI FiNiCHiZ]	il finit

Le s se prononce de trois façons différentes. Dans la plupart des cas, il se prononce [Z], mais après une consonne non voisée, telle que [F/T/P/K], il se prononce [S]. Après un [S/CH/TCH], [iZ]. Regardez de nouveau les exemples pour voir pourquoi le son change.

Exercice 6

Dans les phrases suivantes, comment prononcez-vous le s: S, Z *ou* iZ?

1 **She speaks English.** Elle parle anglais.
2 **She understands French.** Elie comprend le français.
3 **He plays tennis.** Il joue au tennis.
4 **The taxi stops.** Le taxi s'arrête.
5 **The boy watches TV.** Le garçon regarde la télé.
6 **The machine uses electricity.** La machine marche à l'électricité.

[SPIK, ANDeSTAEND, PLEI, TENiS, TAEKSI, OUOTCH, TI VI, YUZ, eLeKTRiSiTI]

Exercice 7

Traduisez les exemples suivants, et n'oubliez pas le **s** *à la 3ème personne:*

1 Vous travaillez.
2 Ils vont.
3 Elle travaille.

4 Nous allons.
5 Je travaille le matin. **(in the morning)**
6 Le bus part dans l'après-midi. **(bus** [BAS], **in the afternoon)**

10 a/an (un, une)

a man [A MAEN] un homme
a house [A HAUS] une maison
a woman [A OUUMeN] une femme
an apartment [eN ePARTMeNT] un appartement
an American [eN eMERiKeN] un Américain
a European [A YURePIAN] un Européen

A devient **an** devant une voyelle prononcée, quel que soit l'orthographe. **European**, par exemple, débute à l'écrit par la voyelle **e**, mais à l'oral, **eu** fonctionne comme une consonne suivie d'une voyelle [YU]. Inversement, on écrit **an MP** (un MP) et on prononce [eN EM PI]. Seule la prononciation du mot, et non son orthographe, détermine quel article doit être employé.

Exercice 8

Traduisez:
1 **He lives in an apartment in Madrid.** **(in** – en/dans)
2 **It's Saturday. She works in the morning.** **(Saturday** – samedi)
3 **They live with an English family.** **(with** – avec/chez)
4 **The bus comes from Paris. (from** – de)
5 **Monday is not a good day.** **(Monday** – lundi; **day** – jour)
6 **Ask Marcel. He speaks English.** **(ask** – demander)
[SAETeDI, OUiDH, FROM, MANDI, DEI]

CONVERSATION

Gaston	**A coffee?**	Un café?
Luis	**Yes, please.**	Oui, s'il te plaît.
Gaston	**With milk?**	Avec du lait?
Luis	**No, thank you.**	Non, merci.
Gaston	**You're Spanish, are you?**	Tu es espagnol, n'est-ce pas?
Luis	**No, I'm Italian. I speak Spanish, but I'm not Spanish. And you?**	Non, je suis italien. Je parle espagnol mais je ne suis pas espagnol. Et toi?
Gaston	**My father comes from Yugoslavia. My mother comes from France. We live in Canada.**	Mon père est de Yougoslavie. Ma mère est de France. Nous vivons au Canada.
Luis	**You're Canadian.**	Tu es canadien?
Gaston	**Yes, that's correct.**	Oui, c'est exact.

[KOFI, MiLK, SPAENiCH, MAI FARDHA, MADHA, KeNEIDIeN, KeREKT]

11 Pluriels

a friend, three friends	[THRI FRENDZ]	un ami, trois amis
a car, cars	[KAR, KARZ]	une voiture, des voitures
a ticket, tickets	[TiKiT, TiKiTS]	un billet, des billets
a house, two houses	[HAUS, TU HAUZiZ]	une maison, deux maisons

Le pluriel de la plupart des mots se forme simplement en ajoutant un s à la fin. Les règles de prononciation sont les mêmes que dans le cas des verbes: [Z], [S] ou [iZ]. Il y a très peu de pluriels irréguliers. Voici les plus importants:

a man, men [MAEN, MEN]	un homme, des hommes
a woman, women [OUUMeN, OUiMiN]	une femme, des femmes (attention à la prononciation)
a child, children [TCHAILD, TCHiLDReN]	un enfant, des enfants
a foot, feet [FUT, FIT]	un pied, des pieds
a tooth, teeth [TUTH, TITH]	une dent, des dents

Notez également ce pluriel un peu spécial:

a person, people [PERSeN, PIPL]	une personne, personnes/gens

12 Articles

Remarquez que le pluriel indéfini 'des hommes, des billets' se traduit sans article en anglais: **men, tickets**.

13 there is, there are (il y a)

There's (There is) a man in the house. Il y a un homme dans la maison.
[DHEAZ A MAEN iN DHA HAUS]
There are two men in the house. Il y a deux hommes dans la maison.
[DHEAR AR]
Is there a taxi? Y a-t-il un taxi?
Are there taxis? Y a-t-il des taxis?
There isn't (is not) a train. Il n'y a pas de train.
[DHEAR iZNT A TREIN]

'Il y a' se traduit en anglais soit par **there is** soit par **there are** selon que le mot suivant est au singulier ou au pluriel.

Exercice 9

Traduisez:

1 taxis, hommes, soirs
2 enfants, appartements, maisons
3 cinq gens: trois hommes et deux femmes (et – **and**)
4 trois semaines (semaine – **week** [WIK])
5 deux bières (bière – **beer** [BIA])
6 cinq jours (jour – **day**)
7 Il y a sept jours dans une semaine.
8 Y a-t-il un téléphone dans la maison? (téléphone – **telephone**)
9 Y a-t-il des enfants dans l'appartement?
10 Y a-t-il une bonne émission à la télé? (émission – **programme**; à – **on**)
11 Y a-t-il un taxi? Oui, il y en a trois.
12 Il n'y a pas de voiture au garage. (au garage – **in the garage**)

14 have (avoir), do (faire)

I have, you have [HAEV] j'ai, vous avez **X has** [HAEZ] X a
I do, you do [DU] je fais, vous faites **X does** [DAZ] X fait

Ces deux verbes sont très importants. Remarquez les changements orthographique et de prononciation à la 3ème personne du singulier.

Exercice 10

Traduisez:

1 **They have two children.**
2 **She does five days a week in Paris.** (**a week** – par semaine)
3 **He has three or four apartments in Spain.** (**or** [OR] – ou)
4 **We have a week in Athens and two days in Cairo.**
5 **The car has five doors.** (**door** [DOR] – portière)
6 **I do the garden.** (**garden** [GARDeN] – jardin)

CONVERSATION

Martin	**There are fifteen people in the house.**	Il y a quinze personnes dans la maison.
Arthur	**Fifteen?**	Quinze?
Martin	**Fifteen or sixteen.**	Quinze ou seize.
Arthur	**Are they a rugby team?**	Est-ce que c'est une équipe de rugby?
Martin	**No, they're friends of Gaston.**	Non, ce sont des amis de Gaston.
Arthur	**Gaston has fifteen friends?**	Gaston a quinze amis?
Martin	**Fifteen or sixteen.**	Quinze ou seize.
Arthur	**That's amazing.**	C'est étonnant.

[FiFTIN, SiKSTIN, RAGBI TIM, FRENDZ, eMEIZiNG]

15 Mots interrogatifs

Where? [OUEA]	Où?
When? [OUEN]	Quand?
How? [HAU]	Comment?
How much? [HAU MATCH]	Combien?
What? [OUOT]	Que? Quoi?

16 Terminaison en -s

Le -s du pluriel et le -s d'un verbe à la 3ème personne du singulier deviennent parfois **-es**. Regardez ces exemples:

a bus, buses [BAS]	un autobus, des autobus
pass, he passes [PARS]	passer, il passe
a potato, potatoes [PETEITOU]	une pomme de terre, des pommes de terre
go, he goes [GOU]	aller, il va
a city, cities [SITI]	ville, villes
try, he tries [TRAI]	essayer, il essaie

Avec les mots se terminant par **s/sh/ch/z** et certains mots finissant par **o**, le -s devient **-es**. Pour les mots terminés par **y**, on obtient **-ies** sauf si **y** suit une voyelle, auquel cas on ajoute simplement **-s**. Ainsi on a **day** (jour), **days**; **boy** (garçon), **boys**; mais **baby** (bébé), **babies**. La terminaison **f** ou **fe** se transforme dans certains cas en **ve** au pluriel. 'Il a une femme' se dit **He has a wife**. Si vous voulez dire un jour que quelqu'un a quatre femmes, vous direz **He has four wives** [OUAIVZ].

Exercice 11

Traduisez:

1 garçons, pièces de théâtre, vallées **(boy, play, valley)**
2 dames, familles, pays **(lady, family, country)**
3 femmes, enfants, hommes **(woman, child, man)**
4 Où est-elle?
5 Quand êtes-vous à Londres? (à Londres – **in London**)
6 Où sont les garçons?
7 A quelle heure est le prochain train? (à quelle heure – **when**, prochain – **next**)
8 Comment vont les enfants?

17 Questions

Do you work?	**Does he work?**	Travailles-tu? Travaille-t-il?
When do you work?	**Where does he work?**	Quand travaillez-vous? Où travaille-t-il?
What does he do?	**What do you do?**	Que fait-il? Que faites-vous?

La plupart des Français trouvent les questions en anglais terriblement difficiles. Il n'y a aucun problème avec le verbe **be**, mais lorsqu'il s'agit d'employer d'autres verbes, ils formulent des phrases bizarres qui n'ont rien à voir avec l'anglais. Les exemples ci-dessus vous montrent comment poser des questions: utilisez le mot **do**, ou **does** pour la 3ème personne du singulier, suivi de la forme simple du verbe. Si vous trouvez cela bizarre, ne vous inquiétez pas. Vous n'êtes pas le seul. Et même si cela semble bien étrange, au moins ce n'est pas difficile.

Exercice 12

Complétez les phrases suivantes:

1	**Where ... you come from?**	D'où viens-tu?
2	**When ... the next train go?** [NEKST]	Quand part le prochain train?
3	**How much ... the hotel cost?** [HOUTEL]	Combien coûte l'hôtel?
4	**Where ... you live?**	Où habitez-vous?
5	**... he have children?**	A-t-il des enfants?
6	**... you have friends in America?**	Avez-vous des amis en Amérique?
7	**What ... Bernard do?**	Que fait Bernard (comme métier)?
8	**... speak French?**	Parlez-vous français?

CONVERSATION

George	**Do you know Henry?**	Connais-tu Henry?
Stan	**No. What does he do?**	Non. Qu'est-ce qu'il fait?
George	**He works in the hotel, in the bar.**	Il travaille à l'hôtel, au bar.
Stan	**Is he small, with big teeth?**	Est-il petit, avec de grandes dents?
George	**No, not really. He's normal. He has a sports car.**	Non, pas vraiment. Il est normal. Il a une voiture de sport.
Stan	**I'm not sure.**	Je ne suis pas sûr.
George	**Well, he has three girlfriends.**	Eh bien, il a trois petites amies.
Stan	**Obviously.**	Evidemment.
George	**What do you mean?**	Que veux-tu dire?
Stan	**He has a sports car.**	Il a une voiture de sport.

[RIALI, NORMeL, CHUA, GERLFRENDZ, OBVIeSLI]

18 D'autres adjectifs

big [BiG]	**a very big house**	grand/gros – une très grande maison
small [SMORL]	**small children**	petit – des petits enfants
good [GuD]	**a very good man**	bon – un homme très bon
bad [BAED]	**a bad idea**	mauvais – une mauvaise idée
hot [HOT]	**a very hot country**	chaud – un pays très chaud
cold [KOULD]	**cold drinks**	froid/frais – des boissons fraîches

Les adjectifs se placent toujours devant le nom, et sont invariables.

Exercice 13

Traduisez:

1 Ce n'est pas un très bon hotel.
2 Il a une grosse voiture très chère. (cher – **expensive**)
3 C'est de la bonne soupe, et c'est chaud. (soupe – **soup**)
4 C'est petit mais très cher. (mais – **but**)
5 Le déjeuner est froid mais ce n'est pas mauvais. (déjeuner – **lunch**)

19 Pronoms personnels

me [MI] moi, me
us [AS] nous
you [YU] te, toi *ou* vous
him [HiM] le, lui
her [HER] la, elle
them [DHEM] leur, eux
it [iT] le, lui *ou* la, elle, lui (non animé)

Exercice 14

Traduisez:

1 **It's not good for you.** (**for** – pour)
2 **Do you know them? They know you.** (**know** – connaître)
3 **She's very famous. You know her.** (**famous** [FEIMeS] – célèbre)
4 **It's a good drink. I like it.** (**drink** – boisson; **like** [LAIK] – aimer bien)
5 **Ask him, or ask me.** (**ask** – demander)
6 **There's a message for you.** (**message** [MESeDZH] – message)

20 D'autres formes négatives

I do not know – I don't know [AI DOUNT NOU] je ne sais pas
he does not know – he doesn't know [HI DAZNT NOU] il ne sait pas

De même que pour formuler des questions, on emploie **do** dans les tournures négatives, même pour les interdictions: 'ne pars pas', **don't go (do not go)**. Là encore, les formes abrégées sont très courantes: remplacez la voyelle de **not** par une apostrophe. Etudiez bien les exemples.

Exercice 15

Complétez ces phrases:

1	**He ... like us.**	Il ne nous aime pas.
2	**You ... know her.**	Tu ne la connais pas.
3	**She ... have a big family.**	Elle n'a pas une grande famille.
4	**They ... do very good work.**	Ils ne font pas du très bon travail.
5	**The bus ... go to Rome.**	L'autobus ne va pas à Rome.
6	**... ask me.**	Ne me demande pas.
7	**Wait. ... go.** [WEIT]	Attendez. Ne partez pas.
8	**The train ... here.**	Le train ne s'arrête pas ici.
9	**... in the morning.**	Ne venez pas le matin.
10	**I ...; I ...**	Je ne suis pas italien; je ne parle pas italien. (Faites bien attention!)

Exercice 16

Complétez ce texte:

I come from a (1) ... town in the south (2) ... the country. There (3) ... not very many chances for a (4) ... job there. People (5) ... want to stay, and they (6) ... to the (7) ... cities to look for work. Often, they (8) ... return.	Je viens d'une petite ville du sud du pays. Il y a peu de chances de trouver un bon travail là-bas. Les gens ne veulent pas y rester et ils vont dans les grandes villes, pour chercher un emploi. Souvent, ils n'y retournent pas.

[TAUN, SAUTH, KANTRI, VERI, MENI, TCHARNSiZ, DZHOB, OuONT, STEI, LuK Fe, ReTERN]

CONVERSATION

George	**Do you want a beer?**	Tu veux une bière?
Anna	**No. I don't like beer.**	Non. Je n'aime pas la bière.
George	**What do you like?**	Qu'est-ce que tu aimes?
Anna	**I don't know. Coke, orange, lemonade.**	Je ne sais pas. Le coca-cola, le jus d'orange, la limonade.
George	**OK. They have orange here.**	OK. Ils ont de l'orange ici.
Anna	**Is it cold?**	Est-ce que c'est frais?
George	**How do I know?**	Qu'est-ce que j'en sais?
Anna	**Well, ask the waiter.**	Eh bien, demande au serveur.
George	**You ask him.**	C'est toi qui lui demandes.
Anna	**I don't speak Italian.**	Je ne parle pas italien.

[KOUK, OReNDZH, LEMeNEID, HIA, WEITA]

Leçon 2

21 Nombres

11	**eleven** [eLEVeN]	16	**sixteen** [SiKSTIN]
12	**twelve** [TOUELV]	17	**seventeen** [SEVeNTIN]
13	**thirteen** [THERTIN]	18	**eighteen** [EITIN]
14	**fourteen** [FORTIN]	19	**nineteen** [NAINTIN]
15	**fifteen** [FIFTIN]	20	**twenty** [TOUENTI]

Exercice 17

Entraînez-vous à utiliser ces nombres:

1	**20.15 train**	**The train goes at eight fifteen.**	Le train part à 8h 15.
2	**12.15 plane**	**The plane ...** [PLEIN]	L'avion part à 12h 15.
3	**11.20 bus**	**The ...**	L'autobus part à 10h 13.
4	**13.18 bus**	**...**	
5	**14.14 train**	**...**	
6	**15.20 plane**	**...**	

22 will, can

Will I see you tomorrow? [ouiL, TeMOROU]	Est-ce que je te verrai demain?
Will you give me fifteen dollars? [GiV, DOLERZ]	Est-ce que tu me donneras quinze dollars?
The waiter will come in a moment. [MOUMeNT]	Le garçon arrive dans un moment.
I won't (will not) be here Monday. [ouOUNT]	Je ne serai pas ici lundi.
He'll (He will) help you.	Il vous aidera.
He won't (He will not) help you.	Il ne vous aidera pas.

Comme vous le voyez, **will** s'emploie souvent sous forme abrégée. Certains apprenants n'aiment pas ces formes raccourcies mais ils doivent persévérer. Franchement, les autres formes s'emploient seulement pour insister. Vous verrez peut-être dans d'anciennes grammaires que **will** ne doit pas s'utiliser avec la première personne. Ignorez-les. Toutes les phrases données ici sont en bon anglais courant.

Exercice 18

Complétez, en utilisant les formes abrégées:

1	**... see you on Monday.**	Je te verrai lundi.
2	**... believe this, but.** [BeLIV]	Tu ne vas pas le croire, mais.
3	**I think ... have problems.** [PROBLeMZ]	Je pense qu'il aura des problèmes.
4	**... be trouble.** [TRABL]	Il va y avoir des ennuis.
5	**... be in Rome on Friday.** [FRAIDI]	Il ne sera pas à Rome vendredi.

Comme vous pouvez le remarquer, **will** exprime le futur. C'est l'un de ces rares verbes dont la conjugaison est un peu anormale. C'est-à-dire qu'il n'y a pas de s à 3ème personne du singulier, et pas de **do** aux formes interrogatives et négatives. Mais surtout n'en déduisez pas que d'autres verbes se conduisent de la même manière!

She can speak English. [KAEN] ou [KeN]	Elle sait parler anglais.
Can you help me? [KAEN]	Pouvez-vous m'aider?
He can't (cannot) be here tomorrow. [KARNT]	Il ne peut pas être ici demain.

Can est un autre verbe 'anormal'. Notez sa forme négative abrégée.

Exercice 19

Traduisez:

1 **Good morning. Can I help you?**
2 **I'll be in the house at eleven fifteen.**
3 **Do you think you'll go?**
4 **It's very hot. I can't drink it.**
5 **When will they come?**
6 **I don't want this. You can have it.** (**want** – vouloir)
7 **He'll give you twenty dollars.**
8 **I can't understand her.** (**understand** – comprendre)

CONVERSATION

Waiter	**Good afternoon. Can I I help you?**	Bonjour. Vous désirez quelque chose?
Sarah	**Yes, please. I'll have a coffee and a sandwich.**	Oui. Je voudrais un café et un sandwich, s'il vous plaît.
Waiter	**A cheese sandwich?**	Un sandwich au fromage?
Sarah	**No, I don't like cheese. I'll have a ham sandwich.**	Non, je n'aime pas le fromage. Je vais prendre un sandwich au jambon.
Waiter	**Sorry.**	Désolé, c'est impossible.
Sarah	**What's the problem?**	Quel est le problème?
Waiter	**You can't have ham. It's finished.**	Vous ne pouvez pas avoir de jambon. Il n'y en a plus.
Sarah	**OK. I'll just have a coffee.**	D'accord. Je prendrai juste un café.

23 here and there (ici et là); this and that (ceci et cela)

here	**Come here.** [HIA]	ici	Venez ici.
	Here are the boys.		Voici les garçons.
there	**Go there.** [DHEA]	là	Allez là.
	There is the taxi.		Voilà le taxi.

this	**this man** [DHIS]	cet homme(-ci)
	these men [DHIZ]	ces hommes(-ci)
that	**that man** [DHAET]	cet homme(-là)
	those men [DHOUZ]	ces hommes(-là)

L'anglais semble plus rigoureux que le français en ce qui concerne 'ici' et 'là'. Vous remarquerez qu'il n'y a pas de traduction spécifique pour 'ce' en anglais. Il vous faudra choisir entre 'ceci' et 'cela'.

Exercice 20

Traduisez:

1. **I don't like these tomatoes. I'll take those.** [TeMARTOUZ] **(like** – aimer)
2. **This is Catherine. She lives here.**
3. **I don't understand. What does that mean?** **(mean** [MIN] – vouloir dire/signifier)
4. **How do you say this in English?** **(say** [SEI] – dire)
5. **These days, it's very busy here.** **(busy** [BIZI] – animé)
6. **Don't go that way. Go this way.** **(that way** [WEI] – par là)
7. **I won't be here this evening.**
8. **Can you help these two girls?** **(girl** – jeune fille)
9. **That's not correct.**
10. **You can't get there by train.** **(get** – aller; **by** – par/en)

Get n'est pas vraiment un verbe problématique, mais il est si couramment utilisé qu'il est parfois difficile d'être sûr de son sens précis.

Exercice 21

Traduisez ces phrases en employant **get***:*

1. Il (gagne) vingt dollars de l'heure. (de l'heure – **an hour**)
2. Je vais te (chercher) une bière.
3. Peut-on (acheter) un sandwich ici?
4. Tu vas (attraper) froid.
5. Tu ne peux pas (aller) à l'aéroport par là. (aéroport – **airport**)

24 Possessifs

my [MAI] mon/ma/mes **our** [AUA] notre/nos
your [YOR] ton/ta/tes/votre/vos
his [HiZ] son/sa/ses (d'un homme)
her [HER] son/sa/ses (d'une femme) **their** [DHEA] leur/leurs
its [iTS] son/sa/ses (de quelque chose, pas d'une personne)

his mother, his father, his children	sa mère, son père, ses enfants
Is this your coat? [KOUT]	Est-ce votre/ton manteau?

N'est-ce pas d'une grande simplicité? Soyez toutefois vigilant dans l'emploi de **his, her** et **its.**

Exercice 22

Traduisez:

1 Voilà mon père.
2 C'est son idée. (idée – **idea)**
3 Voici leur voiture. (voiture – **car)**
4 Donnez-moi mon manteau, s'il vous plaît. (donner – **give)**
5 Peux-tu me donner son adresse? (adresse – **address)**

Exercice 23

Complétez le texte:

I (1) ... know her very well. She is (2) ... attractive girl, of (3) ... or eighteen. She wants to get a job in Germany. (5) ... sister lives there. Her parents (6) ... let her go. '(7) ... too young,' they say. 'You (8) ... leave home.'	Je ne la connais pas très bien. C'est une fille séduisante, âgée de 17 ou 18 ans. Elle veut obtenir un emploi en Allemagne. Sa sœur vit là-bas. Ses parents ne veulent pas la laisser partir. 'Tu es trop jeune' disent-ils. 'Tu ne peux pas partir de la maison.'

CONVERSATION

Val	**Where's my cheque book?**	Où est mon carnet de chèques?
Sue	**I don't know.**	Je ne sais pas.
Val	**Is it in there?**	Est-ce qu'il n'est pas là-dedans?
Sue	**I can't see it.**	Je ne le vois pas.
Val	**I can't go without my cheque book.**	Je ne peux pas partir sans mon carnet de chèques.
Sue	**Look in your bag.**	Regarde dans ton sac.
Val	**Don't be silly. It's not there.**	Ne sois pas bête. Il n'y est pas.
Sue	**Well, I can't help you.**	Eh bien, je ne peux pas t'aider.

25 always, often, etc.

always [ORLOUEIZ]	toujours
often [OFeN]	souvent
sometimes [SAMTAIMZ]	quelquefois
never [NEVA]	jamais

Exercice 24

Complétez les phrases suivantes:

1	**He ... goes there on Sundays.**	Il y va toujours le dimanche.
2	**They're ... late.** [LEIT]	Ils sont souvent en retard.
3	**You can ... telephone me.**	Tu peux toujours me téléphoner.
4	**You ... know.**	On ne sait jamais.
5	**It's ... cold here.**	Il fait quelquefois froid ici.
6	**I ... see him in the road.** [ROUD]	Je le vois souvent dans la rue.
7	**He'll ... say 'Yes'.**	Il ne dira jamais 'Oui'.

26 -ing

work	**I don't like working.**	Je n'aime pas travailler.
do	**I like doing nothing.** [DUiNG]	J'aime ne rien faire.
speak	**Speaking English is easy.**	C'est facile de parler anglais.
swim	**Swimming can be fun.**	Ça peut être amusant de nager.
live	**She doesn't like living there.**	Elle n'aime pas vivre là-bas.

Habituez-vous dès maintenant à cette forme en **-ing** car elle est très fréquente. Elle sert souvent à traduire l'infinitif ('travailler, faire, vivre', etc.). Remarquez dans les exemples ci-dessus quelques détails orthographiques. Le mots terminés par **e** perdent cet **e**: **living, having**. D'autres mots terminés par une voyelle suivie d'une consonne voient cette consonne doubler: **swim – swimming, get – getting.**

Exercice 25

Ecrivez ces verbes avec la forme en **-ing**:

1	**be, go, understand**	être, aller, comprendre
2	**come, give, like**	venir, donner, aimer
3	**wait, cost, want**	attendre, coûter, vouloir
4	**stop, shut, sit**	arrêter, fermer, s'asseoir

27 Prépositions

for [FOR]	pour	**at** [AET]	à
to [TU]	à	**from** [FROM]	de
of [OV]	de	**with** [ouiDH]	avec
in [iN]	dans	**about** [eBAUT]	environ

Exercice 26

Complétez:

1	**Wait for ...**	Attends-moi.
2	**... do it for you.**	Je le ferai pour toi.
3	**at the end of the ...**	à la fin de la journée
4	**The road ... from Milan to Rome.**	La route va de Milan à Rome.
5	**... that to me.**	Donnez-moi cela.
6	**There's a lot of ...**	Il y a beaucoup de gens.
7	**... with me.**	Venez avec moi.
8	**It's in the ...**	C'est dans la maison.
9	**He's about ...**	Il a environ dix-huit ans.

Exercice 27

Ajoutez les verbes conjugués après les prépositions:

1	**Thank you for (come).**	Merci d'être venu.
2	**He's not good at (sit) and (wait).**	Il n'aime pas trop s'asseoir et attendre.
3	**In (say) that, you say everything.**	En disant cela, vous dites tout.
4	**Stop him from (go).**	Empêche-le de partir.
5	**It's a question of (stop) him.**	Le problème, c'est de l'arrêter.

CONVERSATION

Pat	**Do you go to Nero's?**	Vas-tu chez Néron?
Les	**Sometimes.**	Quelquefois.
Pat	**Is it good?**	C'est bon?
Les	**It can be OK. The music's often good.**	Ça va. Il y a souvent de la bonne musique.
Pat	**What about going there this evening?**	Si on allait là-bas ce soir?
Les	**What's today? Friday?**	Quel jour sommes-nous? Vendredi?
Pat	**That's right.**	C'est ça.
Les	**It often gets very crowded. There's no question of getting a seat.**	Il y a souvent foule. Impossible d'avoir une place.
Pat	**We can always go and see.**	Nous pouvons toujours aller voir.
Les	**OK.**	D'accord.

28 be -ing

I'm going. [AIM GOUiNG]	Je vais.
He's not working. [HIZ NOT WERKiNG]	Il ne travaille pas.
Are they coming? [AR DHEI KAMiNG]	Viennent-ils?

Exercice 28

Complétez ces phrases, en utilisant le verbe **be** *conjugué et la terminaison en* **-ing***:*

1	**... (go) to Los Angeles on Monday.**	Il va/ira à Los Angeles lundi.
2	**... (play) tennis tomorrow.**	Je ne jouerai pas au tennis demain.
3	**... (work) next week?**	Travailles-tu la semaine prochaine?
4	**... (do) our shopping ...**	Nous ferons nos courses demain.
5	**... (leave) for Japan.**	Elle va partir au Japon.

Cette forme en **-ing**, pour laquelle il n'y a pas de traduction directe en français, s'emploie souvent pour donner l'idée du futur. Mais elle peut exprimer le présent comme ci-dessous:

6	**What...?** (se passer – **happen**)	Qu'est-ce qui se passe?
7	**Don't disturb him, ...**	Ne le dérange pas. Il travaille.
8	**... in a hotel.** (loger – **stay**)	Ils logent dans un hotel.
9	**The boss ... for you.** (attendre – **wait for**)	Le patron vous attend.

Comme vous le voyez, la forme en **-ing** peut servir à exprimer ce qui est en train de se passer, maintenant. C'est comme si l'on disait 'en ce moment' pour bien marquer que ce n'est que temporaire: 'ils ne logent pas à l'hôtel toute l'année'. Ne vous inquiétez pas si cela vous paraît bizarre.

29 Colours (Couleurs)

red	[RED]	rouge
white	[OUAIT]	blanc
yellow	[YELOU]	jaune
black	[BLAEK]	noir
green, light green	[GRIN, LAIT GRIN]	vert, vert clair
brown, light brown	[BRAUN, LAIT BRAUN]	marron, marron clair
blue, dark blue	[BLU, DARK BLU]	bleu, bleu foncé

Exercice 29

Traduisez:

1 **The President lives in the White House.** (**live in** – vivre à)

2 **She's driving a red car.** (**drive** – conduire)

3 **I don't eat green bananas.** **(eat** – manger)
4 **He's wearing a yellow and brown top.** **(wear** – porter, **top** – haut)
5 **He has blue eyes.** **(eye** – œil)
6 **His brother has black hair.** **(brother** – frère; **hair** – cheveux)

30 Professions

Notez bien que les Anglais utilisent l'article **a/an** devant les noms de professions: **He's an architect** [ARKeTEKT] 'Il est architecte'.

Exercice 30

Complétez les phrases suivantes:

1 **I'm ...** Je suis étudiant. (étudiant – **student)**
2 **Her ...** Son père est médecin. (médecin – **doctor)**
3 **He likes ...** Il aime être architecte.
4 **Michel's ...** Michel est agent de police. (agent de police – **policeman)**

Exercice 31

Complétez ce texte:

He has long (1) ... hair and dark (2) ... eyes. He's a student. (3) ... studying psychology (4) ... education at a college in Brussels. But at present he's (5) ... in a restaurant in the (6) ... . (7) ... trying to save some money.

Il a de longs cheveux noirs et des yeux marrons foncés. Il est étudiant. Il étudie la psychologie et la pédagogie dans une université à Bruxelles. Mais en ce moment, il travaille dans un restaurant le soir. Il essaie d'économiser de l'argent.

CONVERSATION

Lester	**What do you do?**	Que fais-tu?
Chris	**I'm an engineer.**	Je suis ingénieur.
Lester	**What? In a white coat?**	Ah! Tu as une blouse blanche?
Chris	**Yes. Sometimes I wear a white coat.**	Oui, je porte parfois une blouse blanche.
Lester	**Is it interesting?**	C'est intéressant?
Chris	**It's a job. They pay me. What do you do?**	C'est un métier comme un autre. On me paie pour le faire. Et toi, qu'est-ce que tu fais?
Lester	**I'm working in a bank, but I'm thinking of changing.**	Je travaille dans une banque, mais je pense changer.
Chris	**To what?**	Pour faire quoi?
Lester	**I don't know. Maybe TV or radio.**	Je ne sais pas. Travailler à la télé ou à la radio, peut-être.

31 some, every

some [SAM]	quelque	**every** [EVRI]	chaque
someone [SAMOUAN]	quelqu'un	**everyone** [EVRIOUAN]	tout le monde
something [SAMTHiNG]	quelque chose	**everything** [EVRITHiNG]	tout
somewhere [SAMOUEA]	quelque part	**everywhere** [EVRIOUEA]	partout

Exercice 32

Complétez:

1	**There's ... at the door.**	Il y a quelqu'un à la porte.
2	**... knows ...**	Tout le monde sait ça.
3	**I ... ... to eat.**	Je veux quelque chose à manger.
4	**... ... is ... old.**	Tout ici est très vieux.
5	**I go there ... ...**	Je vais là-bas chaque jour/tous les jours.
6	**She ... ... in France.**	Elle vit quelque part en France.
7	**... the same thing ...**	C'est la même chose partout.

32 D'autres prépositions

He lives in France, in Paris, in a good district, in the rue Marc, at number 23. — Il vit en France, à Paris, dans un bon quartier, dans la rue Marc au numéro 23.

At introduit un point géographique très précis. Il se pourrait que vous entendiez quelqu'un dire **He lives at Zurich.** Ce sera certainement un Londonien ou un New Yorkais pour qui tout ce qui n'est pas Londres ou New York se réduit à un tout petit point sur une carte, comparable à une étable. A la personne qui parle de choisir:

I'll meet you at London airport. **I'll meet you in London airport.**

Ces deux mêmes prépositions s'emploient pour introduire des compléments de temps: **in** pour une certaine période, comme 'en', et **at** pour un point précis dans le temps, comme 'à'. Tous les Anglais semblent d'accord sur ce point.

in the morning, in 1997	le matin, en 1997
at lunchtime, at 8.35	à l'heure du déjeuner, à 8.35

Exercice 33

Essayez: **at** *ou* **in?**

1 **... the USSR.**
2 **... my house.**
3 **... New York.**
4 **... the afternoon.**
5 **... the end of the day.**
6 **... the nineteenth century.**
7 **... seven o'clock.**

On, qui veut généralement dire 'sur', s'emploie aussi, pour quelque raison inconnue, avec les jours de la semaine et également les dates, comme 'le 1er juillet', etc., et avec des mots comme 'anniversaire' **(birthday)**.

8 **I'll see you ... Monday.**
9 **The store closes ... nine o'clock.** **(store** – magasin)
10 **I go ... eight ... the morning.**
11 **... Arab countries they work ... Sundays.** **(Arab countries** – pays arabes)
12 **Can you ask Anna ... Monday morning?**
13 **Come ... ten fifteen ... Friday.**

33 much (beaucoup)

not much [NOT MATCH]	pas beaucoup
very much [VERI MATCH]	vraiment beaucoup
too much [TU MATCH]	trop

Exercice 34

Traduisez:

1 **He knows too much.** (savoir)
2 **Do you like it? Not much.** (aimer)
3 **It costs too much.** (coûter)
4 **I speak some Italian, but not much.** (parler)
5 **Thank you very much.** (merci)

CONVERSATION

Julia	**How much is it?**	C'est combien?
Cathy	**I don't know. About a hundred dollars, I think.**	Je ne sais pas. Environ cent dollars, je pense.
Julia	**That's very expensive.**	C'est très cher.
Cathy	**Everything's expensive.**	Tout est cher.
Julia	**Is a hundred dollars OK for you?**	Est-ce que cent dollars, c'est dans tes moyens?
Cathy	**No, but I'm working. I'll have some money at the end of the week, on Friday.**	Non, mais je travaille. J'aurai de l'argent à la fin de la semaine, vendredi.
Julia	**I think it's too much.**	Je pense que c'est trop cher.

34 one, ones

Pas le noir, le blanc.	**Not the black one, the white one.**
Pas les noirs, les blancs.	**Not the black ones, the white ones.**

Exercice 35

Traduisez:

1 **How much are the green ones?**
2 **The red ones are very expensive.**
3 **I prefer the big blue ones.**
4 **I don't want a big one; I'll have a small one.**

35 other

other [ADHA]	autre
another [eNADHA]	un autre
the same [SEIM]	le même/pareil
different [DiFReNT]	différent

Do you want another one? Après un café: 'Vous en voulez un autre?'

Exercice 36

Traduisez:

1 **He has a sister in America and another in Japan.** (**sister** – sœur)
2 **You can come at the same time.** (**time** – heure)
3 **I don't want that. I'll have the other one.** (**want** – vouloir)
4 **I'll have another coffee, please.**
5 **There are only six here. Where are the others?** (**only** – ne que)
6 **It's not the same thing.**

36 would like

I'd (I would) like a beer please.	Je voudrais une bière, s'il vous plaît.

Cette tournure un peu bizarre est très fréquente. C'est plus poli que **I want a beer**, ou **Give me a beer**. Regardez bien ces exemples, en faisant attention aux questions et aux négatives, ainsi qu'aux formes pleines:

She'd like a ticket to Paris.	Elle voudrait un billet pour Paris.
I wouldn't like to go there.	Je ne voudrais pas y aller.
Would you like a drink?	Voulez-vous quelque chose à boire?
My friend would like to say 'Hello'.	Mon ami voudrait dire 'Bonjour'.

Remarquez la différence entre **Do you like coffee?** 'Aimez-vous le café?' et **Would you like a coffee?** 'Voulez-vous un café?'

Exercice 37

Complétez avec **would like:**

1 **... a salad, please.**	Je voudrais une salade, s'il vous plaît.
2 **Where ...?**	Où veux-tu aller?
3 **I ...**	Je n'aimerais pas être à ta place.
4 **... a glass of wine?**	Voulez-vous un verre de vin?
5 **... there at ten o'clock.**	Je voudrais y être à 10 heures.
6 **... to hear that.**	Ton père n'aimerait pas entendre ça.
7 **... a beer?**	Votre ami voudrait-il une bière?

37 Questions

Who? [HU]	Qui? (une personne)
What? [OUOT]	Qu'est-ce qui, (qu'est-ce) que, quel? (une chose)
Why? [OUAI]	Pourquoi?
What's the difference?	Quelle est la différence?
Who's your friend?	Qui est ton ami?
Why not?	Pourquoi pas?

Exercice 38

Complétez:

1 **... that?**	Qui est-ce?
2 **... waiting?**	Pourquoi attendons-nous?
3 **... the time?**	Quelle heure est-il?
4 **... so cold?**	Pourquoi est-ce si froid?
5 **... the manager here?**	Qui est le directeur ici?
6 **... doing?**	Qu'est-ce que tu fais?

CONVERSATION

Sue	**What are you doing?**	Qu'est-ce que tu fais?
Charles	**I'm watching Italian TV.**	Je regarde la télé italienne.
Sue	**That's Spanish.**	C'est de l'espagnol.
Charles	**Is it? Well, it's the same.**	Ah bon? C'est pareil.
Sue	**It's not.**	Pas du tout.
Charles	**It's not very different.**	Ce n'est pas très différent.
Sue	**Why are you watching Spanish television?**	Pourquoi regardes-tu la télé espagnole?
Charles	**Why not?**	Pourquoi pas?
Sue	**Sometimes I'd like to kick you.**	Il y a des fois où j'aimerais te frapper.
Charles	**What's wrong with you?**	Qu'est-ce qui te prend?

Leçon 3

38 Passé de 'be'

Be a deux formes au passé: **was** et **were**. Apprenez-les bien.

I was		**we were**	[AI OUOZ, OUI OUER]
	you were		
X was		**they were**	

Ces deux formes s'emploient pour traduire des énoncés comme 'j'étais', 'j'ai été', 'je fus'. Elles se comportent comme les formes du présent dans les questions, et dans les tournures négatives où elles peuvent être abrégées: **wasn't/weren't** au lieu de **was not/were not**.

Exercice 39

Complétez:

1	**He ... a very famous man.**	C'était un homme très célèbre.
2	**... you in the hotel last night?**	Etais-tu à l'hôtel hier soir?
3	**I ... here.**	J'étais ici.
4	**How ... your weekend?**	Comment s'est passé ton weekend?
5	**There ... two men in the car.**	Il y avait deux hommes dans la voiture.
6	**I ... born in Canada.**	Je suis (litt: fus) né au Canada.
7	**Where ... you born?**	Où êtes-vous né?
8	**... there many people there?**	Y avait-il beaucoup de gens?
9	**It ... a very serious accident.**	L'accident fut très grave.
10	**We ... good friends at school.**	Nous étions bons amis à l'école.

39 Nombres

21	**twenty-one**	22	**twenty-two**
30	**thirty** [THERTI]	34	**thirty-four**
40	**forty** [FORTI]	47	**forty-seven**
50	**fifty** [FiFTI]	50	**fifty-six**
60	**sixty** [SiKSTI]	68	**sixty-eight**
70	**seventy** [SEVeNTI]	73	**seventy-three**
80	**eighty** [EITI]	85	**eighty-five**
90	**ninety** [NAINTI]	99	**ninety-nine**
100	**a hundred** [HANDReD]		

Exercice 40

Dites tout haut ou écrivez ces nombres:

	$22.50	**twenty-two dollars fifty**
1	F64	**... francs**
2	$53.70	**... dollars ...**
3	FS37.00	**... Swiss francs**
4	¥45.00	**... yen**
5	£81.00	**... pounds**
6	$23.75	**... dollars ...**
7	$79.66	**...**
8	F95.00	**...**
9	$100	**...**

40 all (tout)

All day and night. [ORL]	Toute la journée et toute la nuit.
All my friends were there.	Tous mes amis étaient là.
That's all.	C'est tout.

Facile, non?

41 a little, a bit (un peu)

It looks a bit dangerous.	Ça paraît un peu dangereux.
I'm getting a little cold.	Je commence à avoir un peu froid.
Do you speak English? Yes, a bit.	Oui, un peu.

Ces deux tournures sont très fréquentes et veulent dire la même chose.

CONVERSATION

Les	**How was your weekend?**	Comment s'est passé ton weekend?
Pat	**Terrible.**	Très mal.
Les	**What was wrong?**	Qu'est-ce qui s'est passé?
Pat	**Saturday was boring, and I was sick all day Sunday.**	Le samedi je me suis ennuyée et j'ai été malade toute la journée de dimanche.
Les	**Yes. You look a bit pale. There's a lot of flu about.**	C'est vrai. Tu me paraîs un peu pâle. Beaucoup de gens ont la grippe en ce moment.
Pat	**It wasn't flu.**	Ce n'etait pas la grippe.
Les	**No? What was it?**	Non, qu'est-ce que c'était?
Pat	**Food poisoning, I think.**	Une intoxication alimentaire, je crois.

42 D'autres nombres

135	**a hundred (and) thirty-five**
250	**two hundred (and) fifty**
301	**three hundred (and) one, three oh one**
499	**four hundred (and) ninety-nine**
500	**five hundred**
1,000	**a thousand** [THAUZeND]
1,600	**one thousand six hundred; sixteen hundred**
3,700	**three thousand seven hundred; thirty-seven hundred**
12,000	**twelve thousand**
1,000,000	**a million** [MiLYeN]
2,000,000	**two million**

En anglais britannique, on dira généralement **two hundred and twenty.** En anglais américain, on préfère dire **two hundred twenty.**

Exercice 41

Entraînez-vous avec ces nombres:

1 295 ...
2 1,900 ...
3 110,000 ...
4 55,000 ...
5 999 ...
6 830 ...
7 3,000,000 ...
8 6,500 ...

43 that (que)

I'm sure that you're right.	Je suis sûr que tu as raison.
I'm sure you're right.	Je suis sûr que tu as raison.
I think (that) that's all.	Je pense que c'est tout.
He says (that) he's under thirty.	Il dit qu'il a moins de 30 ans.

Si vous le désirez, vous pouvez traduire 'que' par **that** mais les Anglais s'en embarrassent rarement.

Exercice 42

Traduisez:

1 **I'm sure it was in your room yesterday.** (chambre; hier)
2 **They say there were over a million people there.** (**over** – plus de)
3 **He says it costs a little over four hundred dollars.**
4 **Do you think it was difficult?** (**difficult** – difficile)
5 **I don't think she was born in Spain.**

44 Prépositions

in	**It's in the street.**	C'est dans la rue.
into	**We'll go into the supermarket.**	Nous entrerons au supermarché.
out	**Take it out of the room.**	Sors-le de la chambre.
around	**You can walk around the church.**	Tu peux marcher autour de l'église.
through	**Look through the window.**	Regarde par la fenêtre.
	We walked through the forest.	Nous avons traversé la forêt à pied.
under	**Put it under the table.**	Mets-le sous la table.
over	**There's a bridge over the river.**	Il y a un pont au-dessus de la rivière.

Exercice 43

Complétez:

1	**They're coming ...**	Ils sortent de la maison.
2	**I'll put it ...**	Je vais le mettre dans ma chambre.
3	**Put the table ...**	Mets la table sous la fenêtre.
4	**The river goes ... the town.**	La rivière traverse la ville.
5	**You can walk ...**	Tu peux traverser le pont à pied.
6	**There's ... the town.**	Il y a une forêt tout autour de la ville.
7	**... the park.**	Nous marcherons dans le parc.
8	**I'd say he's ... twenty-eight.**	Je dirais qu'il a environ 28 ans.

CONVERSATION

Nancy	**Who's this, in the photograph?**	Qui est-ce, sur la photo?
Sandy	**That's me.**	C'est moi.
Nancy	**Really? How old were you?**	Vraiment? Quel âge avais-tu?
Sandy	**I was about ten or eleven.**	J'avais environ 10 ou 11 ans.
Nancy	**You're going into a tent.**	Tu entres sous une tente.
Sandy	**Yes, we were at a camping site.**	Oui, nous étions dans un camping.
Nancy	**Your hair was darker then.**	Tes cheveux étaient plus foncés alors.
Sandy	**Oh, that comes out of a bottle.**	Oh, c'est artificiel. (litt.: ça sort d'une bouteille)

45 Le passé

I worked	**we worked** [ouERKT]	(je travaillai/j'ai travaillé)
	you worked	
X worked	**they worked**	

Pour former le passé d'un verbe, il suffit de lui ajouter **-d** ou **-ed**, mais avant que vous ne vous détendiez complètement et que vous ne disiez 'l'anglais est d'une simplicité enfantine', il y a quelques verbes irréguliers à apprendre, accompagnés comme d'habitude de quelques détails de prononciation et d'orthographe.

happen	(se passer)	**happened** [HAEPeND]
live	(vivre)	**lived** [LiVD]
ask	(demander)	**asked** [ARSKT]
stop	(s'arrêter)	**stopped** [STOPT]
want	(vouloir)	**wanted** [ouONTiD]
end	(finir)	**ended** [ENDiD]

Les règles de prononciation sont un peu comparables à celles données pour la terminaison en **-s**. Dans la plupart des cas, prononcez [D]. Après les consonnes non voisées [P/T/F] etc., dites [T] et après une finale [T] ou [D], dites [iD]. Les règles orthographiques sont pratiquement les mêmes que pour la terminaison **-s**:

try	(essayer)	**tried**
study	(étudier)	**studied**
stay	(rester)	**stayed**

Y se transforme de nouveau en **ie**, sauf s'il suit une voyelle.

prepare	(préparer)	**prepared**
invite	(inviter)	**invited**
free	(libérer)	**freed**

Un mot terminé par **e** prend simplement un **d**. Regardez les mots suivants:

stop	(arrêter/s'arrêter)	**stopped** [STOPT]
hope	(espérer)	**hoped** [HOUPT]
permit	(permettre)	**permitted** [PeMiTiD]
invite		**invited** [iNVAITiD]

La consonne finale de certains mots est redoublée. La voyelle la précédant est courte. Etudiez bien le fonctionnement de la double consonne. On demande aux jeunes écoliers anglais qui apprennent à lire de penser au **'magic E'** (le E magique) qui ne se prononce pas mais a une influence sur la voyelle précédente. S'il est séparé de cette voyelle par deux lettres, il perd tout son pouvoir. Ainsi on dit **hoped** [HOUPT] mais **stopped** [STOPT]; **taped** [TEIPT] mais **tapped** [TAEPT]; **filed** [FAILD] mais **filled** [FiLD].

En fait, beaucoup d'Anglais font des fautes d'orthographe.

Exercice 44

Complétez:

1 **The concert ... (finish)**	Le concert s'est terminé à 10h 30.
2 **We (try, get) a bus.**	Nous avons essayé de prendre l'autobus.
3 **But ... (too late)**	Mais il était trop tard.
4 **We ... (stop)**	Nous avons arrêté un taxi.
5 **Do ... (happen)**	Tu sais ce qui s'est passé?
6 **He ... (refuse, take)**	Il a refusé de nous prendre.

46 more (plus)

more [MOR]	plus
more than [MOR DHeN]	plus que/plus de
no more [NOU MOR]	ne ... plus
some more [SAM MOR]	un peu plus
Would you like more coffee?	Voulez-vous encore du café?
There were more than a thousand people.	Il y avait plus de 1000 personnes.
No more for me, thanks.	Je n'en veux plus, merci.
It's delicious. Can I have some more?	C'est délicieux. Puis-je en avoir un peu plus?

CONVERSATION

Pat	**Sorry I'm late.**	Je m'excuse d'être en retard.
Diane	**That's OK.**	Ce n'est pas grave.
Pat	**My car isn't working.**	Ma voiture ne marche pas.
Diane	**I know the feeling. What's wrong?**	Je sais ce que c'est. Qu'est-ce qui ne va pas?
Pat	**I don't know. It started all right, and then it just stopped.**	Je ne sais pas. Elle a bien démarré et puis elle s'est tout simplement arrêtée.
Diane	**What happened?**	Qu'est-ce qui s'est passé?
Pat	**The engine just stopped.**	Le moteur s'est tout bonnement arrêté.
Diane	**I don't know much about cars.**	Je n'y connais pas grand-chose en voitures.
Pat	**Well, I phoned my brother. He knows a lot about engines. Well, he knows more than me.**	J'ai téléphoné à mon frère. Il s'y connaît en moteurs. Enfin, il s'y connaît mieux que moi.

47 Days of the week (Les jours de la semaine)

Monday [MANDI]	lundi	**Friday** [FRAIDI]	vendredi
Tuesday [TYUZDI]	mardi	**Saturday** [SAETeDI]	samedi
Wednesday [WENZDI]	mercredi	**Sunday** [SANDI]	dimanche
Thursday [THERZDI]	jeudi		

Exercice 45

Complétez:

1 **I'll see you again on ...** — Je te reverrai mercredi.
2 **We arrived ...** — Nous sommes arrivés samedi.
3 **It was very cold and wet ...** — Il faisait très froid et humide mardi.
4 **It rained all day ...** — Il a plu toute la journée dimanche.
5 **I'm starting my new job ...** — Je commence mon nouveau travail lundi.

48 must (devoir, falloir)

I must go now. [MAST] Il faut que je parte/Je dois partir maintenant.

Exercice 46

Traduisez:

1 **Must you go?**
2 **She mustn't be late.** **(late** – en retard)
3 **Your mother mustn't know about it.** **(know** – savoir)
4 **You mustn't tell her.** **(tell** – dire)

Must/must not (dont la forme abrégée est **mustn't**) est un autre de ces verbes 'anormaux' qui ne prennent pas d'-**s** et n'ont pas besoin de **do** dans les questions et les tournures négatives. Voici ceux que vous avez rencontrés jusqu'à présent:

can	**Can she come?**	Peut-elle venir?
must	**Must he wear that hat?**	Doit-il porter ce chapeau?
will	**Will she be here tomorrow?**	Sera-t-elle ici demain?
would	**Would he like some coffee?**	Voudrait-il du café?

Vous trouverez aussi **must** dans des phrases telles que:

He must be her father. — Ce doit être son père.
You must be crazy. — Tu dois être fou.

Un Anglais dirait plutot **You must be mad**, bien que **crazy** ait le même sens pour lui. **Mad**, pour un Américain, signifie 'en colère'. C'est dans ces détails de vocabulaire que réside la plus grosse différence entre l'anglais britannique et l'anglais américain. Nous vous les signalerons chaque fois que cela sera nécessaire.

49 Formes irrégulières du passé

Certains verbes ont des formes irrégulières au passé. Ils ont beau être peu nombreux, ils comptent parmi les plus fréquents. Vous pouvez être à peu près sûr que des verbes peu courants comme **disinfect** ('désinfecter') ou **psychoanalyse** ('psychoanalyser') sont réguliers et prennent un **-d** ou **-ed** au passé. Mais des verbes très usités comme **say** ('dire') ou **do** ('faire') ne se comportent pas de la même façon. En voici quelques-uns à apprendre:

do	(faire)	**did** [DiD]
go	(aller)	**went** [OUENT]
have	(avoir)	**had** [HAED]
say	(dire)	**said** [SED]

Exercice 47

Traduisez:

1 **I finished the work yesterday.** (**yesterday** – hier)
2 **I did a lot of work on Friday.**
3 **He said he was very cold.**
4 **I invited him into the house.**
5 **He had two cups of coffee.** (**cup** – tasse)
6 **He wanted me to help him.** (**want** – vouloir; **help** – aider)
7 **We went to the supermarket.**

CONVERSATION

Edward	**We went to the beach on Friday.**	Nous sommes allés à la plage vendredi.
Joanne	**I know. You said.**	Je sais. Tu l'as déjà dit.
Edward	**We're going again tomorrow.**	Nous y retournerons demain.
Joanne	**That's nice for you.**	Tant mieux pour vous.
Edward	**Do you want to come with us?**	Veux-tu venir avec nous?
Joanne	**Well, I'd like to, but I'm a bit busy.**	J'aimerais bien, mais je suis un peu occupée.
Edward	**You can take one day off.**	Tu peux te prendre un jour de congé.
Joanne	**No, I must do some work this week. I really must.**	Non, je dois travailler cette semaine. Il faut vraiment que je travaille.

50 D'autres formes irrégulières du passé

come	(venir)	**came** [KEIM]
know	(savoir, connaître)	**knew** [NYU]
pay	(payer)	**paid** [PEID]
think	(penser)	**thought** [THORT]

Exercice 48

Traduisez (il se pourrait que vous deviez vérifier quelques points de la leçon d'hier):

1 **I went to Paris yesterday.** (**yesterday** – hier)
2 **We did a bit of shopping.** (**shopping** – des courses)
3 **We had lunch in a restaurant.**
4 **I thought it was very nice.** (**nice** – agréable)
5 **My father paid for it all.**
6 **He said he wanted us out of the house.**

51 Questions et négations au passé

She went; I didn't go.	Elle y est allée; je n'y suis pas allé.
I stopped; he didn't stop.	Je me suis arrêté; il ne s'est pas arrêté.
He did it; I didn't do it.	Il l'a fait; je ne l'ai pas fait.
I knew. Did you know?	Je le savais. Le savais-tu?
I arrived yesterday. When did you arrive?	Je suis arrivé hier. Quand êtes-vous arrivés?
Did you do that?	Est-ce que tu l'as fait?

Au passé, on utilise **did** pour les questions et les négations. Le verbe principal perd alors toutes traces de passé et reprend sa forme de base. C'est exactement ce qui se passe au présent avec **do** et **does**. Essayez de vous habituer à cette construction simple, même si elle vous semble bizarre. Beaucoup de Français n'arrivent pas à y croire et essaient n'importe quoi pour formuler des questions et des phrases négatives. Malheureusement pour eux, c'est le seul moyen de parler correctement en anglais moderne.

Il existe une forme abrégée de **did not: didn't**.

Exercice 49

Utilisez la forme **didn't** *pour compléter ces phrases:*

1	**The bus (came).**	L'autobus n'est pas arrivé.
2	**He (invited) me.**	Il ne m'a pas invité.
3	**I (knew) her name.**	Je ne savais pas son nom.
4	**We (enjoyed) the party.**	Nous ne nous sommes pas amusés à la soirée.
5	**My friend (had) a coat.**	Mon amie n'avait pas de manteau.
6	**You (thought) about it.**	Tu n'y as pas pensé.

Exercice 50

Entraînez-vous à formuler des questions:

1 **When did ...?**	Quand l'autobus est-il arrivé?
2 **...?**	Est-ce qu'il vous a invité?
3 **... you ...?**	Savais-tu son nom?
4 **... you ...?**	Vous êtes-vous bien amusés à la soirée?
5 **... your friend ...?**	Ton amie avait-elle un manteau?
6 **What ... about it?**	Qu'est-ce que tu en as pensé?

Puisque nous y sommes, mentionnons que **do/did** servent aussi à exprimer l'insistance:

Sit down. Do sit down.	Asseyez-vous. Je vous en prie, asseyez-vous.
He likes you. Honestly. He does like you.	Il t'aime bien. Crois-moi, il t'aime bien.
I paid for it. I promise you. I did pay for it.	Je l'ai payé. Je te le promets. Je l'ai payé.

Exercice 51

Employez la tournure emphatique:

1 **I thought of you.**
2 **I went to university.**
3 **I helped him.**
4 **We stopped at the red light.** (**red light** – feu rouge)
5 **She had a sandwich.**
6 **I knew the answer.** (**answer** – réponse)
7 **He said it was OK.**
8 **I did the washing.** (**washing** – lessive)

CONVERSATION

Janet	**Hello, there!**	Salut!
Celia	**Hi!**	Salut!
Janet	**I didn't expect you today.**	Je ne m'attendais pas à te voir aujourd'hui.
Celia	**Why not?**	Pourquoi?
Janet	**I thought you went to your family.**	Je croyais que tu allais voir ta famille.
Celia	**Oh yes. That was the plan.**	Ah oui. C'est ce qui était prévu.
Janet	**What happened?**	Qu'est-ce qui s'est passé?
Celia	**I changed the plan.**	J'ai changé d'idée.
Janet	**Why did you do that?**	Et pourquoi cela?
Celia	**Oh, I had my reasons.**	J'avais mes raisons.

52 Verbes irréguliers

eat (manger)	**ate** [ET]
get (gagner, devenir, etc.)	**got** [GOT]
put (poser)	**put** [PuT] (pas de changement)
see (voir)	**saw** [SOR]
take (prendre)	**took** [TuK]

Avec un verbe tel que **put**, présent et passé ont la même forme. A la 3ème personne du singulier, vous entendrez la différence ... enfin, si vous n'oubliez pas le -s au présent!

He puts it down.	Il le pose.
He put it down.	Il le posa.

Exercice 52

Complétez:

1	**... it on the table?**	L'as-tu posé sur la table?
2	**... her pills.**	Elle n'a pas pris ses cachets.
3	**... her, but ... me.**	Je l'ai vue, mais elle ne m'a pas vu.
4	**The child ... it all.**	L'enfant l'a mangé en entier.
5	**... a steak for dinner.**	J'ai pris un steak pour le dîner.

53 Verbes à particule

Put on a jersey.	Mettez un tricot.
Take off your coat.	Retirez votre manteau.
Turn on the TV.	Allume la télévision.
Turn off the radio.	Eteins la radio.

Exercice 53

Essayez de traduire ces phrases:

1 **Why not take your coat off?**
2 **Can you turn the heating on, please?** **(heating** – chauffage)
3 **Turn that stupid radio off.** **(stupid** – stupide)
4 **I'll put my best suit on.** **(best suit** – plus beau costume)
5 **They put their coats on, and went out.**
6 **She turned all the lights off.** **(light** – lumière)

Une des caractéristiques – parfois irritante – de l'anglais, c'est qu'il combine deux mots pour exprimer ce que l'on pourrait dire en un seul. Les deux parties du verbe peuvent se séparer pour l'insertion du complément d'objet.

54 Questions

Who?	Qui? (une personne)
What?	Qu'est-ce qui? Qu'est-ce que?
Which? [ouiTCH]	Quel?

Ces mots interrogatifs peuvent être sujets d'un verbe, auquel cas l'ordre des mots est normal. Etudiez ces exemples de deux types de questions:

Who saw you?	Qui vous a vu?
Who did you see?	Qui avez-vous vu?
What eats insects?	Qu'est-ce qui mange des insectes?
What do insects eat?	Qu'est-ce que mangent les insectes?
Which policeman attacked you?	Quel policier vous a attaqué?
Which policeman did you attack?	Quel policier avez-vous attaqué?

Il existe une forme dérivée de **who: whom**. Mais en anglais moderne, elle n'est utilisée qu'après une préposition – **to whom, with whom** – et non dans ces questions. Comme vous pouvez le remarquer, il faut faire très attention à ces formes interrogatives, le sens en dépend.

Exercice 54

Complétez:

1	**Who ...?**	Qui avez-vous payé?
2	**Who ...?**	Qui vous a payé?
3	**Which coat ...?**	Quel manteau avez-vous mis?
4	**Which button ...?**	Quel bouton sert à éteindre (litt.: éteint) la radio?
5	**What ...?**	Qu'as-tu eu au déjeuner? (déjeuner – **lunch**)
6	**What ...?**	Que s'est-il passé? (se passer – **happen**)

CONVERSATION

Martin	**Excuse me.**	Excusez-moi.
Daniel	**Yes?**	Oui?
Martin	**What did your friend say?**	Qu'a dit votre ami?
Daniel	**About what?**	Au sujet de quoi?
Martin	**About the money. You said ...**	De l'argent. Vous avez dit ...
Daniel	**Oh yes. Sorry.**	Ah oui. Je m'excuse.
Martin	**You didn't speak to him?**	Vous ne lui avez pas parlé?
Daniel	**No. Sorry. I didn't see him today. He went out early. I'll ask him tomorrow.**	Non. Désolé. Je ne l'ai pas vu aujourd'hui. Il est parti de bonne heure. Je lui demanderai demain.

Leçon 4

55 Mots exprimant le temps

yesterday hier [YESTeDI] **today** aujourd'hui [TeDEI] **tomorrow** demain [TeMOROU]

Yesterday was hot.	Hier, il faisait chaud.
Today is cold.	Aujourd'hui il fait froid.
Tomorrow will be hot again.	Demain il fera de nouveau chaud.

56 Chiffres ordinaux

1st	**first** [FERST]	**6th**	**sixth** [SiKSTH]
2nd	**second** [SEKeND]	**7th**	**seventh** [SEVeNTH]
3rd	**third** [THERD]	**8th**	**eighth** [EITTH]
4th	**fourth** [FORTH]	**9th**	**ninth** [NAINTH]
5th	**fifth** [FiFTH]	**10th**	**tenth** [TENTH]

Exercice 55

Traduisez:

1 **Tomorrow will be the tenth.**
2 **It's on the third floor.** (**floor** – étage)
3 **That was my first visit to the USA.**
4 **Yesterday was Monday the fifth of October.**

57 let

L'impératif de la 1ère personne du pluriel – 'allons, disons' – se traduit en employant **let** ('laisser'): **Let us** dont la forme abrégée est **Let's**.

Exercice 56

Traduisez:

1 **Let's go. (Let us go.)**
2 **Let's say tomorrow morning.**
3 **Let's see.**
4 **Let's get on the first bus.** (**get on** – monter dans)
5 **Let's get off at the park.** (**get off** – descendre)

En fait, **let** sert également à traduire les impératifs de la 3ème personne du singulier et du pluriel: 'qu'il; qu'ils', et 'laissez-le', 'laissez-moi' etc.

Let him go.	Laissez-le partir. Qu'il parte.
Let me help you.	Laissez-moi vous aider.

Exercice 57

Traduisez:

1 Déjeunons. (déjeuner – **to have lunch**)
2 Attendons ici.
3 Qu'elle prenne un taxi. (prendre – **to take**)
4 Voyons, nous sommes jeudi 2.

58 have got

I've got (have got) a bad cold.	J'ai un mauvais rhume.
She's got (has got) two brothers.	Elle a deux frères.
Have you got a light?	As-tu du feu?
He hasn't got any money.	Il n'a pas d'argent.

Les Anglais utilisent très souvent **got** en plus de **have**. Cela n'ajoute rien au sens et on peut légitimement se demander à quoi cela sert, mais c'est très courant. **Have got** appartient au style relâché de la conversation en anglais américain.

Exercice 58

Traduisez, en utilisant **have got***:*

1 Je n'ai pas de billet. (billet – **ticket**)
2 Mon ami a des problèmes.
3 A-t-il un visa? (visa – **visa**)
4 Ils ont un chien. (chien – **dog**)
5 Avez-vous vingt dollars?

CONVERSATION

Chris	**What's the date today?**	Quelle est la date d'aujourd'hui?
Michael	**Let's see. It must be about the seventh.**	Voyons. On doit être le 7 ou quelque chose comme ça.
Chris	**Really? I must write to my family. They'll think I'm dead.**	Vraiment? Il faut que j'écrive à ma famille. Ils vont croire que je suis mort.
Michael	**Why not ring them?**	Pourquoi ne pas leur téléphoner?
Chris	**No. I don't want to do that.**	Non. Je ne veux pas.
Michael	**Why not?**	Et pourquoi?
Chris	**They'll just ask me to come home. I'll send them a postcard.**	Ils me demanderont de revenir à la maison. Je leur enverrai une carte postale.

59 Possessifs

mine [MAIN] le mien, à moi
ours [AUAZ] le nôtre, à nous
yours [YORZ] le tien, le vôtre; à toi, à vous
his [HiZ]
hers [HERZ] le sien, à lui/elle
its [iTS]
theirs [DHEAZ] le leur, à eux

Exercice 59

Traduisez:

1 **That's mine.**
2 **Hers is the red one.**
3 **All of these are yours.**
4 **Isn't it yours?**
5 **I'm not sure. I think it's his.**
6 **They say the land is theirs.** **(land** – terrain/terre)

60 whose?

Whose is it? [HUZ] A qui est-ce?

Exercice 60

Traduisez:

1 **Whose are these?**
2 **Whose coat is that?** **(coat** – manteau)
3 **Whose name is on the document?**
4 **Whose fault was it?** **(fault** – faute)

61 The family (La famille)

mother [MADHA]	mère	**father** [FARDHA]	père
brother [BRADHA]	frère	**sister** [SiSTA]	sœur
son [SAN]	fils	**daughter** [DORTA]	fille
husband [HASBeND]	mari	**wife** [WAIF]	femme
aunt [ARNT]	tante	**uncle** [ANKeL]	oncle
nephew [NEVYU]	neveu	**niece** [NIS]	nièce

Exercice 61

Traduisez et répondez en anglais à ces questions:

1 **Who is the son of your father?** Qui est le fils de votre père? mon frère
2 **Who is the father of your son?**

3 **Who is the sister of your mother?**
4 **Who is the daughter of your mother?**
5 **Who is the husband of your aunt?**
6 **Who is the brother of your daughter?**

62 's

Michel's mother is here.	La mère de Michel est ici.
Actually, the car was Marie's.	En fait, c'était la voiture de Marie.
It was my brother's apartment.	C'était l'appartement de mon frère.

Il s'agit du cas possessif, très fréquent lorsque le possesseur est une personne, et qui remplace **of**. Mais il ne s'emploie pas lorsque le possesseur est une chose.

Gaston's face is red.	Le visage de Gaston est rouge.
The face of the house is concrete.	La façade de la maison est en ciment.

La seule raison d'être de l'apostrophe ' semble être de faciliter la lecture. Lorsque le mot se termine déjà par l's du pluriel, il suffit d'ajouter l'apostrophe pour le cas possessif. La prononciation ne change pas. Donc, à l'écrit sinon à l'oral, il y a une différence entre **my friend's house** (la maison de mon ami) et **my friends' house** (la maison de mes amis).

Exercice 62

Traduisez:
1 **Martin is my friend's brother.**
2 **We'll go to my father's house.**
3 **The boss's nephew has got the job.** (**job** – travail, emploi)
4 **Whose is this? I think it's your sister's.**
5 **His aunt's cooking is magnificent.** (**cooking** – cuisine)
6 **Paul's current obsession is football.** (**current** – courant, actuel)

CONVERSATION

Graham	**Whose is this?**	A qui est-ce?
Bernard	**I suppose it's yours.**	Je suppose que c'est à toi.
Graham	**But I didn't order this.**	Mais je n'ai pas commandé ça.
Bernard	**You ordered a pizza.**	Tu as commandé une pizza.
Graham	**I didn't order one with sausage.**	Mais pas avec du saucisson.
Bernard	**It must be Charles's.**	Ça doit être à Charles.
Graham	**Well, it's certainly not mine.**	En tout cas, ce n'est certainement pas à moi.

63 Nombres

11th	**eleventh**	**16th**	**sixteenth**
12th	**twelfth**	**17th**	**seventeenth**
13th	**thirteenth**	**18th**	**eighteenth**
14th	**fourteenth**	**19th**	**nineteenth**
15th	**fifteenth**	**20th**	**twentieth**

Ceci ne présente aucun problème. Notez que **12 (twelve)** devient **12th (twelfth)**. Cela va mettre votre prononciation du **th** à l'épreuve.

Exercice 63

Traduisez:

1 **He lives on the sixteenth floor.**
2 **He came fifteenth out of twenty.**
3 **Tomorrow is her eighteenth birthday.** (**birthday** – anniversaire)
4 **Eight per cent is about a twelfth.** (**per cent** – pour cent)

64 some/any

some [SAM]	quelque; du, de la, des
someone [SAMouAN]	quelqu'un
somebody [SAMBeDI]	quelqu'un
something [SAMTHiNG]	quelque chose
somehow [SAMHAU]	d'une façon ou d'une autre

Vous avez déjà rencontré certains de ces mots. Vous en souvenez-vous? **Some** doit souvent être remplacé par **any** [ENI]:

I've got some money.	J'ai de l'argent.
I haven't got any money.	Je n'ai pas d'argent.
Have you got any money?	As-tu de l'argent?

La règle est simple: **any** remplace **some** dans les questions et les négations. Cela s'applique aussi aux composés (**anything, anyone** etc.):

I saw something.	J'ai vu quelque chose.
Did you see anything?	As-tu vu quelque chose?
There's somebody there.	Il y a quelqu'un là-bas.
Is there anybody there?	Y a-t-il quelqu'un là-bas?

Exercice 64

Complétez, en utilisant **some, any** etc.:

1 **I have ... rich friends in California.**
2 **I haven't got ... work today.** (**work** – travail)
3 **He gave me ... good advice.** (**advice** – conseils)

4 **Is there ... sugar left?** (**sugar** – sucre; **be left** – rester)
5 **There's ... on the phone for you.** (**phone** – téléphone)
6 **There's never ... good on television.**
7 **I didn't get ... to eat.**
8 **Is there ... from a big city here?**

Vous entendrez parfois **some** dans des questions, lorsqu'il ne s'agit pas d'une demande d'informations mais, par exemple, d'une requête ou d'une offre:

Can you give me some money?	Pouvez-vous me donner de l'argent?
Would you like some coffee?	Voulez-vous du café?

Il est évident que dans ces deux phrases nous avons affaire à une requête et à une offre, et non pas à une question du genre 'as-tu vu quelque chose?' Mais même dans ces exemples, **any** serait correct: **Would you like any coffee?**

Dans les affirmations, **any** veut dire 'n'importe quel':

Any fool can do that.	N'importe quel idiot peut faire ça.
He doesn't care. He does the job anyhow.	Il s'en fiche. Il fait le travail n'importe comment.
Come and visit us any time.	Venez nous voir quand vous voulez.

CONVERSATION

Susan	**Would you like some coffee?**	Veux-tu du café?
Alison	**Yes, please.**	Oui, s'il te plaît.
Susan	**How do you like it?**	Tu le prends comment?
Alison	**With cream and sugar, please.**	Avec de la crème et du sucre.
Susan	**Sorry, there isn't any cream.**	Désolée. Il n'y a pas de crème.
Alison	**Milk will be fine.**	Du lait, alors, ce sera parfait.
Susan	**There isn't any milk. Now where is the sugar? I know it's here, somewhere.**	Il n'y a pas de lait. Ah, où est le sucre maintenant? Je sais qu'il est ici, quelque part.
Alison	**Never mind, I won't have any coffee, thanks. I'll have something cold, if that's OK.**	Cela ne fait rien. Je ne prendrai pas de café, merci. Je vais boire quelque chose de froid, si ça ne te dérange pas.
Susan	**Sure. Orange juice? Lemon?**	Bien sûr. Du jus d'orange, de citron?
Alison	**Anything, thanks.**	Peu importe.

65 D'autres nombres

21st	**twenty-first**	**50th**	**fiftieth**
22nd	**twenty-second**	**100th**	**hundredth**
30th	**thirtieth**	**101st**	**hundred and first**
31st	**thirty-first**	**1,000th**	**thousandth**
40th	**fortieth**	**1,000,000th**	**millionth**
43rd	**forty-third**	**last** [LARST]	dernier

Exercice 65

Traduisez:

1 **We live on the twenty-third floor.**
2 **For the thousandth time, no.**
3 **It was the thirty-first of December.**
4 **Tomorrow is his twenty-fifth birthday.**
5 **It's the hundredth anniversary of the revolution.**

66 Months (Mois)

January [JAENYuRI]	**May** [MEI]	**September** [SePTEMBA]
February [FEBYuRI]	**June** [DZHUN]	**October** [eKTOUBA]
March [MARTCH]	**July** [DZHuLAI]	**November** [NeVEMBA]
April [EIPReL]	**August** [ORGeST]	**December** [DeSEMBA]

Jan. 1 = the first of January ou **January the first**. Les deux façons de dire sont correctes. A vous de choisir dans l'exercice suivant.

Exercice 66

Dites tout haut ou écrivez:

1 **Sept. 30**
2 **25th Dec.**
3 **Feb. 28**
4 **Aug. 21st**
5 **2 Jan.**
6 **11th Mar.**
7 **Oct. 2nd**
8 **Apr. 12**
9 **22/6**
10 **19/5**

A propos, en américain, 10/3 veut dire le 3 octobre, tandis qu'en anglais, cela signife le 10 mars. Vous pouvez imaginer la confusion qui en résulte.

67 could

I could, he could, you could [KUD]

Could you open a window, please?
Pourriez-vous ouvrir une fenêtre s'il vous plaît?

That could be her brother.
C'est peut-être son frère.

Ce verbe étrange – qui vient s'ajouter à notre liste de verbes anormaux – est souvent considéré comme le passé de **can**. Comme vous le voyez d'après les exemples ci-dessus, ce n'est pas tout à fait vrai. Mais regardez les phrases suivantes où cela semble être le cas:

I can speak English now. I couldn't last month.
Je sais parler anglais maintenant. Le mois dernier, je ne savais pas.

She could swim at the age of four.
Elle savait nager à 4 ans.

Notez la form abrégée **couldn't (could not).**

Exercice 67

Complétez:

1 **... the menu?** — Pourrais-je voir la carte?
2 **... get killed, doing that.** — Tu pourrais te faire tuer, en faisant cela.
3 **... be the manager soon.** — Il pourrait devenir directeur bientôt.
4 **... understand it.** — Je ne pouvais pas comprendre cela.
5 **De Gaulle ... speak much English.** — De Gaulle ne parlait pas bien anglais.

CONVERSATION

George **I'm getting old.** — Je me fais vieux.
Sarah **How old are you?** — Quel âge as-tu?
George **I'm twenty-two. Nearly twenty-three.** — J'ai 22 ans, presque 23.
Sarah **When's your birthday?** — C'est quand ton anniversaire?
George **July the thirty-first.** — Le 31 juillet.
Sarah **That's quite soon. Are you having a party?** — C'est très bientôt. Tu fais une fête?
George **No. There's nobody I want to invite.** — Non. Il n'y a personne que je veuille inviter.
Sarah **You could invite me.** — Tu pourrais m'inviter, moi.
George **Yes, maybe I could.** — Oui, peut-être.

68 may, should

It may rain tomorrow. [MEI] Il pourrait bien pleuvoir demain.
That may be her brother. Il se peut que ce soit son frère.
Maybe that's her brother. C'est peut-être son frère.
It may never happen. Ça n'arrivera peut-être jamais.

May est encore un de ces verbes anormaux (sans **-s** à la 3ème personne, etc.) et sert à traduire 'pouvoir' dans le sens de probabilité ou de permission:

You may go now. Vous pouvez partir maintenant.
May I use your telephone? Puis-je utiliser votre téléphone?

Should, lui aussi anormal, exprime 'devrait', dans le sens de possibilité ou d'obligation:

I should do some work. [CHuD] Je devrais travailler.
He should be here by now. Il devrait être ici maintenant.
People shouldn't be so unfriendly. Les gens ne devraient pas être si hostiles.

Exercice 68

Traduisez:

1 **The rich should help the poor.** (**poor** – pauvre)
2 **My brother may come and visit me.** (**come** – venir)
3 **You should leave soon.** (**soon** – bientôt)
4 **There may be a lot of traffic.** (**traffic** – circulation)
5 **The train shouldn't be long now.** (**be long** – tarder)
6 **How much money should I give him?** (**give** – donner)
7 **May I say something?** (**say** – dire)
8 **You shouldn't worry about it.** (**worry** – se faire du souci)

69 too

That's too much. [TU MATCH] C'est trop.
It's too far. C'est trop loin.

Exercice 69

Traduisez:

1 **It didn't seem too expensive.** (**seem** – sembler; **expensive** – cher)
2 **The soup was too hot to drink.** (**hot** – chaud)
3 **The beach is not too far from here.** (**beach** – plage; **far** – loin)
4 **I didn't find it too difficult.** (**find** – trouver)
5 **They arrived too soon.** (**soon** – tôt)

70 much/many (beaucoup)

That doesn't give me much help.	Cela ne m'aide pas beaucoup.
That doesn't give me many ideas.	Cela ne me donne pas beaucoup d'idées.
too much [TU MATCH]	trop
too many [TU MENI]	trop
There's too much noise here.	Il y a trop de bruit ici.
There are too many people here.	Il y a trop de gens ici.

Much précède un mot au singulier, **many** un mot au pluriel.

Exercice 70

Complétez:

1 **Not too ... cream for me, please.** (pas trop de crème)
2 **Not too ... potatoes for me, please.** (pas trop de pommes de terre)
3 **There aren't ... young people here.** (pas beaucoup de jeunes gens)
3 **There isn't ... time.** (pas beaucoup de temps)
4 **How ... sugar do you take?** (combien de sucre)
5 **How ... cups of coffee do you have a day?** (combien de tasses de café)
7 **How ... money have you got?** (combien d'argent)
8 **How ... dollars have you got?** (combien de dollars)

CONVERSATION

Henry	**I'm alone a lot now. I think I may get a dog, or a cat, or something like that.**	Je suis souvent seul maintenant. Il se pourrait que je prenne un chien ou un chat ou quelque chose comme ça.
Philip	**You should get a parrot. John's got one.**	Tu devrais prendre un perroquet. John en a un.
Henry	**Really?**	Vraiment?
Philip	**He paid five hundred dollars for his.**	Il l'a payé 500 dollars.
Henry	**He must be an idiot.**	Il est complètement stupide.
Philip	**Yes. It's too much for an animal.**	Oui. C'est trop pour un animal.
Henry	**Maybe it speaks four languages.**	Peut-être qu'il parle quatre langues.
Philip	**It says 'Who's a pretty boy?' sometimes, but that's all.**	Il dit parfois 'Qui c'est le joli garçon?', mais c'est tout.
Henry	**I'd expect more for that much money.**	Je m'attendrais à plus pour cette somme.

71 D'autres mots exprimant le temps

yesterday hier	**today** aujourd'hui	**tomorrow** demain
yesterday morning	**this morning**	**tomorrow morning** (matin)
yesterday afternoon	**this afternoon**	**tomorrow afternoon** (après-midi)
yesterday evening	**this evening**	**tomorrow evening** (soir)
last night	**tonight** [TUNAIT]	**tomorrow night** (nuit)

Exercice 71

Supposez que nous sommes le 11. Transformez ces énoncés en conséquence et traduisez:

1 16.30h le 10. (hier après-midi)
2 18.30h le 11. (ce soir)
3 23.30h le 12. (demain, la nuit)
4 23.30h le 11.
5 18.30h le 10.
6 10.30h le 10.
7 10.30h le 11.
8 10.30h le 12.

72 both, neither, none

both [BOUTH] — tous les deux
I'm here both tonight and tomorrow night. — Je suis ici ce soir et demain soir.
Both his parents are dead. — Ses parents sont morts (tous les deux).

neither [NAIDHA OU NIDHA] — ni ... ni
Neither of my parents is/are alive. — Ni mon père ni ma mère ne sont vivants.

Would you like beer or tea? — Veux-tu de la bière ou du thé?
Neither, thank you. — Ni l'un ni l'autre, merci.

Neither fonctionne comme la négation de **both**.

none [NAN] — aucun, pas un
Sorry. There's none left. — Désolé. Il n'en reste aucun.
None of them speaks English. — Aucun d'entre eux ne parle anglais.

D'anciennes grammaires vous diront que **neither** et **none** sont toujours singuliers. En anglais moderne, ils sont soit singuliers soit pluriels, au choix de celui qui parle. Si vous avez en tête un sujet singulier, mettez le verbe au singulier: **None of the houses is big.** Si vous pensez à un pluriel, mettez le verbe au pluriel: **None of the houses are big** (Aucune des maisons n'est grande).

Exercice 72

Complétez:

1	**I saw him on two occasions, and I liked him ... times.**	Je l'ai vu en deux occasions, et je l'ai apprécié les deux fois.
2	**... of us is very old.**	Aucun de nous deux n'est très vieux.
3	**There's enough for ... of us.**	Il y en a assez pour nous deux.
4	**Would you like a coffee or a cognac? Yes, ... please.**	Voulez-vous un café ou un cognac? Oui, les deux, s'il vous plaît.
5	**... of my family are very rich.**	Aucun membre de ma famille/Personne dans ma famille n'est très riche.
6	**I know ... their children.**	Je connais leurs deux enfants.

73 all right

She was in hospital, but she's all right now.	Elle était à l'hôpital, mais elle va bien maintenant.
Will you ring me tomorrow? All right.	Tu me téléphones demain? D'accord.

All right, comme **OK**, sert à traduire 'd'accord' ou 'bien'.

CONVERSATION

Mr Smith	**Can you be here Monday or Tuesday?**	Pourriez-vous être ici lundi ou mardi?
George	**Well, neither's easy for me.**	Aucun de ces jours ne me convient vraiment.
Mr Smith	**Why not?**	Pourquoi pas?
George	**Well, my mother and father are visiting me then.**	Eh bien, ma mère et mon père viennent me rendre visite.
Mr Smith	**What about Wednesday or Thursday? Could you manage one of those?**	Pourriez-vous arranger pour être ici mercredi ou jeudi?
George	**Both are all right.**	Ces deux jours me conviennent.
Mr Smith	**Let's say Thursday morning.**	Disons jeudi matin.
George	**All right.**	D'accord.
Mr Smith	**You've got no visitors?**	Vous n'avez pas d'invités?
George	**No. None.**	Non, aucun.

Leçon 5

74 Adjectifs

quick [KWiK]	rapide	**slow** [SLOU]	lent
safe [SEIF]	sans danger	**dangerous** [DEINDZHeReS]	dangereux
good [GUD]	bon	**bad** [BAED]	mauvais
easy [IZI]	facile	**difficult** [DiFeKeLT]	difficile
young [YANG]	jeune	**old** [OULD]	vieux
careful [KEAFeL]	prudent	**important** [iMPORTeNT]	important

Vous avez déjà rencontré certains d'entre eux.

Exercice 73

Traduisez:

1 **He's too young for that job.**
2 **English is not a very difficult language. (language** – langue)
3 **The wine's not bad. (wine** – vin)
4 **The bus was very slow in the mountains. (mountains** – montagne)
5 **Please be careful.**
6 **We had a quick lunch. (have lunch** – déjeuner)

75 Adverbes

slowly [SLOULI]	lentement
safely [SEIFLI]	sans danger
badly [BAEDLI]	mal
easily [IZeLI]	facilement
carefully [KEAFeLI]	prudemment

Voici comment sont formés les adverbes: on ajoute **-ly** à la fin de l'adjectif. C'est extrêmement simple et il y a peu d'exceptions. La seule que vous deviez retenir est **easy** – **easily** où, comme avec d'autres terminaisons, **y** se transforme en **i**. Chose étonnante, beaucoup d'Anglais s'embrouillent avec cette règle et ne savent pas écrire correctement des mots comme **carefully** (ils oublient combien il y a d'**l**) ou **completely** (ils ne savent où placer le dernier **e**). Et pourtant, on ne fait qu'ajouter **-ly** aux adjectifs **complete** et **careful**. Ce n'est pas vraiment déroutant!

Exercice 74

Complétez:

1 **Please drive ... (slow) through the town.**
2 **You can do it ... (easy).**
3 **It's ... (complete) empty.** (**empty** – vide)
4 **I speak English a little and ... (bad).**
5 **He went ... (dangerous) ... (quick).**
6 **... (sure) you're wrong.**

Voici trois adverbes irréguliers:

good – well [OUEL]	bon – bien
fast – fast [FARST] (pas de changement)	rapide – rapidement/vite
hard – hard [HARD] (pas de changement)	dur – durement

Exercice 75

Traduisez:

1 **It's a hard problem.**
2 **He works hard.**
3 **He speaks good English.**
4 **He speaks English well.**
5 **Mine is a very fast car.**
6 **Don't go too fast.**

CONVERSATION

Philip	**Hi. How's life?**	Bonjour. Ça va?
Andrew	**Not bad. Are you ready to go?**	Pas mal. Es-tu prêt à partir?
Philip	**Yes, I'm ready. Where's Martin?**	Oui, je suis prêt. Où est Martin?
Andrew	**He's not here. He's late.**	Il n'est pas ici. Il est en retard.
Philip	**As usual.**	Comme d'habitude.
Andrew	**As always. Can we be there in twenty minutes?**	Comme toujours. Pouvons-nous être là-bas dans 20 minutes?
Philip	**Possibly. But not easily.**	C'est possible. Mais ce ne sera pas facile.
Andrew	**We'll have to drive fast.**	Il nous faudra conduire vite.
Philip	**We can't.**	Impossible.
Andrew	**Why not?**	Pourquoi?
Philip	**A, it's not a fast road. B, I can't get fourth gear.**	Premièrement, ce n'est pas une voie rapide. Et deuxièmement, je n'arrive pas à passer en quatrième.
Andrew	**Marvellous. Great. Ah, here's Martin, finally. Martin, why are you always late?**	Super. Génial. Ah, voici enfin Martin. Martin, pourquoi es-tu toujours en retard?

76 Le participe passé

close	**a closed door** [KLOUZD]	(fermer, une porte fermée)
invite	**an invited audience** [iNVAITiD]	(inviter, un public invité)
want	**an unwanted child** [ANOUONTiD]	(vouloir, un enfant non désiré)
stop	**a car, stopped in the road** [STOPT]	(arrêter, une voiture arrêtée)
control	**a controlled experiment** [KeNTROULD]	(contrôler, une expérience contrôlée)

Le participe passé des verbes réguliers se présente exactement sous la même forme que le passé: on ajoute **-d** ou **-ed**. Pour certains verbes irréguliers, il n'y a aucun changement:

have	avoir	**had**	eus	**had**	eu
put	poser	**put**	posai	**put**	posé
say	dire	**said**	dis	**said**	dit
pay	payer	**paid**	payai	**paid**	payé

Five hundred dollars, paid in cash. $500, payés en liquide.
Some words said in French. Des mots dits en français.

Mais certains verbes importants ont un participe passé très différent:

	PAST TENSE	PARTICIPLE
be être	**was/were** fus	**been** [BIN] été
break casser	**broke** cassai	**broken** [BROUKeN] cassé
come venir	**came** vins	**come** [KAM] venu
do faire	**did** fis	**done** [DAN] fait
give donner	**gave** donnai	**given** [GIVeN] donné
go aller	**went** allai	**gone** [GON] allé
take prendre	**took** pris	**taken** [TEIKeN] pris

a broken arm un bras cassé
a ring given on her birthday une bague offerte à son anniversaire
a man taken to prison un homme emmené en prison

Vous apprendrez avec plaisir que vous avez maintenant recontré toutes les formes possibles d'un verbe anglais. Pour résumer il y en a cinq: **go** (aller); **goes** (va); **going** (allant); **went** (allai, alla etc.); **gone** (allé).

Seul **be** en a plus: **am** (suis); **is** (est); **are** (es, êtes, sommes, sont); **being** (étant); **was** (fus, fut); **were** (fus, fûtes, fûmes, furent); **been** (été).

La plupart des verbes ont quatre formes seulement: **work, works, working, worked.** Les quelques verbes anormaux tels que **can** et **will** n'en ont qu'une: par exemple, **must**.

77 In the street (Dans la rue)

the supermarket [SUPAMARKeT] le supermarché
the baker's [BEIKeZ] la boulangerie
the bank [BAENGK] la banque
the post office [POUST OFiS] la poste
the travel agent's [TRAEVeL EIDZHeNTS] l'agence de voyage
the clothes store [CLOUDHZ STOR] le magasin de vêtements
the hairdresser [HEADRESA] le coiffeur
the newsagent's [NYUZEIDZHeNTS] le marchand de journaux

En américain, 'magasin' se traduit par **store**, tandis que l'anglais britannique dira plutôt **shop**. Mais ces deux termes sont compris de chaque côté de l'Atlantique.

Exercice 76

Traduisez les questions et répondez-y en anglais:

1 **Where do you buy a sweater?** (**sweater** – pull)
2 **Where can you change travellers' cheques?** (**traveller** – voyageur)
3 **Where can you get a plane ticket?** (**plane** – avion)
4 **Where do you go to post a letter?** (**letter** – lettre)
5 **Where can you buy bread?** (**bread** – pain)
6 **Where do you find cigarettes?** (**find** – trouver)
7 **Where can you buy shampoo?**
8 **Where do they give you money?**
9 **Where do people do a lot of their shopping?**
10 **Where can you use a telephone (usually)?**

CONVERSATION

Helen	**I'm going out shopping.**	Je m'en vais faire des courses.
William	**To the supermarket?**	Au supermarché?
Helen	**No, into town. Do you want anything?**	Non, en ville. Veux-tu quelque chose?
William	**A twelve-year-old Scotch whisky. And some smoked salmon.**	Du whisky de 12 ans d'âge. Et du saumon fumé.
Helen	**Very funny. I want to get some shoes. Are you coming with me?**	Très drôle. Je veux acheter des chaussures. Tu viens avec moi?
William	**No, thanks.**	Non, merci.

78 once

once [OUANS]	une fois
twice [TWAIS]	deux fois
three times [TAIMZ]	trois fois
four times	quatre fois
etc. [ETSETRA]	etc.

Exercice 77

Traduisez:

1 **I do the shopping once a week.** (faire les courses; par semaine)
2 **He phoned six or seven times. (phone** – téléphoner)
3 **There's a train twice a day.** (par jour)
4 **I met her once or twice. (meet** – rencontrer)
5 **Take the pills three times a day. (take** – prendre)

79 have -ed

I've (I have) worked here two months.	Je travaille ici depuis 2 mois.
He's (He has) lived here twenty years.	Il vit ici depuis 20 ans.
He hasn't arrived yet.	Il n'est pas encore arrivé.
Have you seen my brother?	As-tu vu mon frère?

Voilà une construction très courante, qui n'arrête pas de dérouter les apprenants français. Le problème réside dans le fait que bien que formellement comparable à 'j'ai travaillé', cette construction se comporte différemment. C'est un de ces exemples où, pour comprendre le fonctionnement d'une langue étrangère, on doit accepter de nouvelles idées. Oubliez la similitude d'aspect en anglais et en français et concentrez-vous sur l'emploi de cette construction: **have** (avoir) plus participe passé.

Exercice 78

Complétez. Reportez-vous à la leçon d'hier pour les participes passés:

1	**He (break) his arm.**	Il s'est cassé le bras (et le bras est toujours cassé).
2	**I (pay) the bill.**	Je n'ai pas payé l'addition (jusqu'à maintenant).
3	**... he (close) the door?**	A-t-il fermé la porte? (Est-elle fermée?)
4	**They (invite) me.**	Ils ne m'ont pas invité.
5	**... you (have) lunch?**	Avez-vous déjeuné?
6	**She (say) anything interesting yet.**	Elle n'a encore rien dit d'intéressant.

Exercice 79

Maintenant, essayez de comprendre et de traduire ces phrases:

1 **Have you met Paul?** (**meet** – rencontrer)
2 **He's (He has) bought a one-way ticket to India.** (**one-way ticket** – aller simple)
3 **He's wanted to go there for years.** (**for years** – depuis des années)
4 **I've said to him it'll be difficult.**
5 **He hasn't met real poverty.** (**poverty** – pauvreté)
6 **He's never really been poor.** (**never really** – jamais vraiment)
7 **His father has always helped him.** (**always** – toujours)

Cette construction reflète moins le temps passé qu'une période qui englobe le passé et le présent. **His father has always helped him** veut en fait dire 'Son père l'a aidé (par le passé) et l'aide toujours'. La traduction en français devient difficile. Essayez de penser à des circonstances où vous voulez exprimer que quelque chose s'est passé mais n'est pas terminé et se prolonge dans le présent.

Petite mise en garde: la plupart des Français (et des Allemands et des Italiens) croient qu'ils peuvent employer **have -ed** pour traduire 'Je suis arrivé hier' par exemple. C'est impossible. Aucun usager de la langue anglaise, qu'il soit américain, irlandais, australien, anglais, sud-africain ou autre n'utilisera jamais **have** dans ce contexte, parce que **yesterday** est révolu et que la caractéristique de **have** est d'exprimer que quelque chose continue. La seule façon de dire 'Je suis arrivé hier' est **I arrived yesterday**.

CONVERSATION

Christine	**What do you do?**	Que fais-tu?
Martin	**Well, it's quite a boring job. But there are compensations. I'm going to Japan soon.**	Oh, mon travail est assez ennuyeux. Mais il y a des compensations. Je vais au Japon bientôt.
Christine	**Really? That's exciting.**	Vraiment? C'est passionnant.
Martin	**Yes, it is.**	Oui, c'est vrai.
Christine	**Have you been there before?**	Tu y es déjà allé?
Martin	**No, never. I went to Singapore once, but not Japan.**	Non, jamais. Je suis allé une fois à Singapour, mais pas au Japon.
Christine	**I've always wanted to travel.**	J'ai toujours voulu voyager.
Martin	**Why don't you?**	Pourquoi ne le fais-tu pas?
Christine	**It's all right if you're a man. It's not easy for a woman.**	Ça va si tu es un homme. Ce n'est pas si facile pour une femme.
Martin	**I don't see why.**	Je ne vois pas pourquoi.

80 no

no X [NOU]	nul, aucun
no one [NOU OUAN]	personne
nobody [NOUBеDI]	personne
nothing [NATHiNG]	rien
nowhere [NOU OUEA]	nulle part
I've got no money.	Je n'ai pas d'argent.
There's no one here.	Il n'y a personne ici.
Nothing for me, thank you.	Rien pour moi, merci.

Référez-vous à la section 64 et comparez **no** avec **not any** et **no one** avec **not anyone**, etc.

Exercice 80

Complétez ces phrases, en utilisant un des mots ci-dessus:

1 **We've got ... to live.**
2 **... more potatoes for me, please.** **(potato** – pomme de terre)
3 **I know ... about it.**
4 **There are ... cigarettes in the house.**
5 **... can explain why.** **(explain** – expliquer)
6 **There's ... to eat.** **(eat** – manger)
7 **... likes him.**

81 have to (devoir)

Do you have to go now?	Dois-tu t'en aller maintenant?
She has to be there at six.	Elle doit y être à 6 heures.

Have to équivaut à **must**, mais à la différence de ce dernier, il a une forme passée:

It's late. We have to/We must find a hotel.	Il est tard. Il faut que nous trouvions un hôtel.
It was late, and we had to find somewhere to sleep.	Il était tard, et il nous fallait trouver un endroit où dormir.
He failed the test, so he had to do it again.	Il rata l'examen, il dut donc le repasser.

Dans le premier exemple, vous pouvez utiliser soit **have to** soit **must**. Dans le second et le troisième, seul **have to** peut se mettre au passé. Cependant, si vous ajoutez **not**, les deux verbes ont des sens différents:

You mustn't eat that. (It's poisonous.)	Ne mange surtout pas cela. (C'est toxique.)
You don't have to eat that.	Tu n'es pas obligé de manger ça.

Exercice 81

Traduisez ces phrases en indiquant où vous pouvez employer soit **have to** *soit* **must** *sans changer le sens:*

1 **I don't have to go now. I'll get a taxi.** (**now** – maintenant)
2 **It's a 9.30 plane, and he has to be there an hour in advance.**
3 **At my school we had to do gymnastics.**
4 **The doctor says he must stop smoking.** (**smoke** – fumer)
5 **You mustn't take life too seriously.** (**life** – la vie)
6 **Girls don't have to do military service.**

Exercice 82

Complétez:

He (1) ... for a firm in town. It's something like insurance (2) ... transport.	Il travaille pour une compagnie en ville. C'est dans la domaine de l'assurance ou du transport.
I know he works (3) ..., and certainly he's (4) ... paid. He looks (5) ..., but in fact he must (6) ... fairly old. After all, (7) ... gets that sort of job at eighteen. I suppose he (8) ... to college, and then did military service, and he's (9) ... there for four years or (10) ... more.	Je sais qu'il travaille dur et il est certainement bien payé. Il paraît jeune, mais en fait il doit etre assez vieux. Après tout, personne n'obtient ce genre d'emploi à 18 ans. Je suppose qu'il est allé à l'université, puis a fait son service militaire et il travaille là depuis quatre ans ou peut-être plus.

CONVERSATION

Susan	**That was delicious. I haven't eaten so well for ages.**	C'était délicieux. Je n'ai pas aussi bien mangé depuis très longtemps.
Michelle	**Do you want another coffee?**	Veux-tu une autre tasse de café?
Susan	**No, thanks. I'll have to go on a diet for a week.**	Non, merci. Je vais devoir me mettre au régime pendant une semaine.
Michelle	**Are you serious? Do you have to diet?**	Parles-tu sérieusement? Tu dois suivre un régime?
Susan	**No, actually. I don't get fat.**	Non, en fait. Je ne grossis pas.
Michelle	**You're lucky.**	Tu as de la chance.
Susan	**Yes. I'll wash the dishes.**	Oui. Je vais faire la vaisselle.
Michelle	**You don't have to.**	Tu n'es pas obligée.
Susan	**It's all right. I like doing it.**	Ça ne me dérange pas. J'aime bien le faire.
Michelle	**Nobody likes washing dishes.**	Personne n'aime faire la vaisselle.
Susan	**I find it quite relaxing.**	Je trouve cela délassant.

82 Mots exprimant le temps

(passé/dernier)	(ce)	(prochain)
last week [LARST WIK]	**this week**	**next week** (semaine)
last month	**this month** [THIS MANTH]	**next month** (mois)
last year	**this year**	**next year** [NEKST YIA] (année)

Exercice 83

Complétez:

1	**I'll see you again ... year.**	Je te reverrai l'année prochaine.
2	**We arrived last ...**	Nous sommes arrivés la semaine dernière.
3	**It was very cold and wet ... month.**	Il faisait très froid et humide le mois dernier.
4	**I start my new job ... month.**	Je commence mon nouveau travail ce mois-ci.
5	**We haven't done very well so far ...**	Nous n'avons pas eu de très bons résultats cette année.
6	**I saw her in the street ...**	Je l'ai vue dans la rue cette semaine.

83 been to

Have you ever been to Egypt? Es-tu déjà allé en Eygpte?
No, I've never been to Egypt. Non, je n'y suis jamais allé.

Une construction un peu bizarre, mais la plus fréquente pour exprimer cette idée.

Exercice 84

Complétez, en utilisant **been to***:*

1	**... America.**	Elle n'est jamais allée en Amérique.
2	**... New York once.**	Je suis allé une fois à New York.
3	**... the West Coast.**	Je ne suis pas allé sur la côte ouest.
4	**My parents ... California.**	Mes parents sont allés en Californie.
5	**... the USA?**	Es-tu allé aux Etats-Unis?

84 going to (aller)

She's going to be sick. Elle va vomir.

Be going to équivaut au français 'aller' lorsqu'il exprime un futur certain. Le problème réside dans la compréhension, car les Anglais enchaînent ces mots au point que l'on entende simplement [GeNe] au lieu de [GOUiNG TU]. Soyez avertis!

She's going to have a baby. [SHIZ GeNe HAEV A BEIBI]	Elle va avoir un bébé.
I'm going to have an early night tonight. [AIM GeNe HAEV eN ERLI NAIT TeNAIT]	Je vais me coucher de bonne heure ce soir.

Exercice 85

Complétez, en utilisant **going to:**

1	**... have an accident soon.**	Il va bientôt avoir un accident.
2	**What ... do?**	Qu'allons-nous faire?
3	**... like this, but.**	Tu ne vas pas apprécier ceci, mais.
4	**... tell me your name?**	Vas-tu me dire ton nom?
5	**... rain tomorrow.**	Il va pleuvoir demain.
6	**... say anything.**	Je ne vais rien dire.
7	**The programme ... end in a minute.**	L'émission va finir dans une minute.
8	**How ... live?**	Comment vont-ils vivre?

85 Voyager

go by car [BAI KAR]	aller en voiture	**drive** [DRAIV]	conduire
go by plane [PLEIN]	aller par avion	**fly** [FLAI]	prendre l'avion
go by train [TREIN]	aller en train		

Comme vous le voyez, vous allez toujours **by** quelque chose: **by bus, by ship, by bicycle** (en autobus, en bateau, à bicyclette). Il y a une exception: **you go on foot**, 'vous allez à pied'.

CONVERSATION

Philip	**What are you going to do this summer?**	Qu'est-ce que tu vas faire cet été?
George	**I'm planning to go to London.**	Je projète d'aller à Londres.
Philip	**Yes? How are you going to go?**	Ah oui? Et par quel moyen?
George	**By air.**	En avion.
Philip	**Not by car?**	Pas en voiture?
George	**No. You don't really want a car in a place like that.**	Non. Il vaudrait mieux ne pas avoir de voiture dans un endroit pareil.
Philip	**No? I've never been there.**	Non? Je n'y suis jamais allé.

86 since, for (depuis)

I've been here since Tuesday [SINS]	Je suis ici depuis mardi
since 9 a.m.	depuis 9h du matin.
I've been here for two days [FOR]	Je suis ici depuis deux jours
for over an hour	depuis plus d'une heure.

Deux points à signaler ici. Premièrement, vous traduisez 'faire X depuis' par **have** plus participe passé (voir la section 79). Deuxièmement, il faut que vous décidiez comment exprimer 'depuis'. **Since** s'emploie lorsque l'on parle d'un point précis du passé: **Since when?** (Depuis quand?). **For** est utilisé pour une période de temps: **For how long?** (Depuis combien de temps?). Choisissez le bon.

Exercice 86

Complétez par **since** *ou* **for***:*

1 **He's (he has) worked there ... six months.**
2 **He's worked there ... last April.**
3 **Have you lived here ... you were a child?** (**child** – enfant)
4 **She's been ill ... months now.** (**ill** – malade)
5 **I haven't seen him ... two years.** (**see, seen** – voir, vu)
6 **... when have you been an expert on computers?**
7 **She's loved him ... she was ten years old.** (**love** – aimer)
8 **It hasn't worked properly ... ages.** (**work properly** – marcher bien)

Maintenant, supposons que vous soyez tres intéressé par une certaine personne, au sujet de laquelle vous voulez en savoir plus. Quelqu'un vous dit une de ces deux phrases: cela fait-il une différence?

X was married for three years. (**married** – marié(e))
X has been married for three years.

Bien sûr! Essayez de voir laquelle avant de continuer.

X was married vous renseigne sur le fait que c'est du passé, que la personne qui vous intéresse est maintenant libre. **Has been** vous dit que cette personne est toujours mariée, qu'elle a toujours un mari ou une femme. C'est pour cette raison que vous devriez éviter de traduire 'a été' par **has been**.

Ou supposez que vous portiez votre appareil-photo au magasin pour le faire réparer. Lorsque vous retournez le chercher, on vous dit que l'appareil n'est pas prêt. Vous demandez pourquoi et vous apprenez que c'est à cause d'une grève à l'usine. On vous dit l'une de ces trois phrases:

The factory is on strike for three weeks. (**factory** – usine; **strike** – grève)
The factory has been on strike for three weeks.
The factory was on strike for three weeks.

Seul le verbe change mais cela influe énormément sur le sens. Dans la première phrase, il semblerait que le syndicat ait décidé une grève de trois semaines, peut-être bientôt terminée. Dans la troisième, avec **was**, la grève de trois semaines s'est terminée. Dans la seconde, la grève a commencé voilà trois semaines mais n'est pas encore finie. Alors, attention aux verbes en anglais!

87 The body (Le corps)

arm [ARM]	bras	**hand** [HAEND]	main
leg [LEG]	jambe	**foot** [FuT]	pied
		(**feet** [FIT]	pieds)
head [HED]	tête	**neck** [NEK]	cou
chest [TCHEST]	poitrine	**back** [BAEK]	dos

Exercice 87

Traduisez ces questions et répondez-y en anglais:

1 **What is on your neck?** (sur le cou? la tête)
2 **What are on your arms?**
3 **What are on your legs?**
4 **What is on your chest?**
5 **What do you walk with?** (**walk** – marcher)
6 **What is under your neck?** (**under** – sous)

CONVERSATION

Jenny	**Ow.**	Aïe.
Daniel	**What's wrong?**	Qu'est-ce qui ne va pas?
Jenny	**It's my foot.**	C'est mon pied.
Daniel	**What have you done to it?**	Qu'est-ce que tu t'es fait?
Jenny	**I don't know. It hasn't been right for ages.**	Je ne sais pas. Ça me fait mal depuis longtemps.
Daniel	**You should see a doctor.**	Tu devrais voir un docteur.
Jenny	**Yes. It's been like this since about March.**	Oui. C'est comme ça depuis le mois de mars environ.
Daniel	**How did it happen?**	Comment t'es-tu fait ça?
Jenny	**I think it was a game of tennis.**	Je crois que c'était en jouant au tennis.
Daniel	**And you haven't seen a doctor?**	Et tu n'as pas vu de docteur?
Jenny	**No. Not yet.**	Non, pas encore.

Leçon 6

88 -er (plus)

red – redder [REDA]	rouge – plus rouge
old – older [OULDA]	vieux – plus vieux
rich – richer [RITCHA]	riche – plus riche
easy – easier [IZIA]	facile – plus facile
safe – safer [SEIFA]	sans risque – encore moins risqué

Pour former le comparatif de supériorité d'un adjectif court, il suffit d'ajouter **-er** à la fin de cet adjectif. Nous avons ici les mêmes règles que celles qui s'appliquent à d'autres terminaisons. A un mot se finissant déjà par un **e**, on ajoutera simplement le **r: safe – safer.** Pour les mots terminés par une voyelle suivie d'une consonne, la consonne sera doublée, indiquant la prononciation originale de la voyelle: **red – redder**. Un **y** après une consonne se transforme en **i: easy – easier**. Voici quelques formes irrégulières:

good – better [BETA]	bon – meilleur
bad – worse [OUERS]	mauvais – pire
far – farther ou **further** [FARDHA] ou [FERDHA]	loin – plus loin
much et **many – more** [MOR]	beaucoup – plus
little – less [LES]	petit, peu – moins

Exercice 88

Complétez avec le comparatif, en faisant attention à l'orthographe:

1	**He's going to get a (big) car.**	Il va s'acheter une voiture plus grande.
2	**Yesterday was (nice).**	Hier, il faisait plus beau.
3	**I've never seen (bad) work.**	Je n'ai jamais vu pire travail.
4	**It won't cost (little) next year, it'll probably cost (much).**	Ça ne coûtera pas moins cher l'année prochaine, ça coûtera probablement plus.
5	**It's often (cold) in January.**	Il fait souvent plus froid en janvier.
6	**The city centre is (far) but (good) for shops.**	Le centre-ville est plus loin mais c'est mieux pour les magasins.
7	**That must be yours. Mine is (small).**	Ce doit être le tien. Le mien est plus petit.
8	**I like my coffee a little (hot).**	Je préfère mon café un peu plus chaud.

89 more (plus)

difficult – more difficult [MOR DIFeKeLT]	plus difficile
important – more important [MOR iMPORTeNT]	plus important
careful – more careful [MOR KEAFeL]	plus prudent

Avec les adjectifs plus longs, on ne peut pas rajouter **-er**. Au lieu de cela, on place **more** devant le mot. Cette règle, qui dépend seulement de la longueur des mots, semble se justifier par son aspect pratique à l'oral: un mot d'une syllabe prend un **-er (small, smaller)**; un mot de trois syllabes ne prend jamais **-er** mais est toujours précédé de **more (important, more important)**. Quant aux mots de deux syllabes, la plupart emploient **more (careful, more careful)**. Mais ceux terminés par **y** se voient ajouter **-er** précédé du **y** transformé en **-i (easy, easier)**.

Exercice 89

Complétez:

1	**The situation is becoming (dangerous) every day.**	La situation devient plus ...
2	**I've never seen her look (happy).**	... jamais vue plus heureuse
3	**That road is (slow) but (attractive).**	... moins vite, mais plus agréable
4	**That's (good).**	C'est meilleur.
5	**He'd like you to be (careful).**	... plus prudent
6	**It's (quick) shopping in a supermarket.**	... plus rapide ...
7	**He's got two (old) brothers.**	... plus âgés
8	**It's going to get (bad).**	Ça va empirer.

CONVERSATION

Martin	**The summer exhibition's on.**	Il y a l'exposition d'été en ce moment.
Jeanne	**I know. I went yesterday.**	Je sais. J'y suis allée hier.
Martin	**Yes? What did you think of it?**	Ah bon? Qu'est-ce que tu en penses?
Jeanne	**It's not bad.**	Ce n'est pas mal.
Martin	**I saw it last year.**	Je l'ai vue l'année dernière.
Jeanne	**It's certainly bigger and better this year.**	Elle est certainement plus grande et meilleure cette année.
Martin	**Maybe I'll go tomorrow.**	J'irai peut-être demain.
Jeanne	**It's also more expensive this year. It's nearly twice the price.**	C'est aussi plus cher cette année. C'est presque le double du prix.
Martin	**Yes? Maybe I won't go.**	Ah oui? Peut-être que je n'irai pas.

90 like (comme)

He drove like a maniac. [LAIK]	Il conduisait comme un fou.
He eats like a horse.	Il mange comme quatre. (litt.: comme un cheval)
It sounds like my sister's voice.	Cela ressemble à la voix de ma sœur.
He looks like an Indian.	Il ressemble à/Il est peut-être un Indien.

On emploie **like** pour demander aux gens leur opinion sur quelque chose:
What's it like? (Comment c'est?)

What's the weather like today?	Le temps est comment aujourd'hui?
What's your new boss like?	Comment est ton nouveau chef?

Exercice 90

Imaginez que quelqu'un soit de retour de voyage. Posez-lui des questions sur les sujets suivants en utilisant **like**:

1 **the food** (la nourriture)	Comment était ...?
2 **the people** (les gens)	Comment étaient ...?
3 **the weather** (le temps)	5 **the flight** (le vol)
4 **the hotels**	6 **the prices** (les prix)

91 self

myself [MAISELF]	me, moi-même	**ourselves** [AUASELVZ]	nous, nous-mêmes
yourself [YORSELF]	te, toi-même	**yourselves** [YORSELVZ]	vous, vous-mêmes
himself [HiMSELF]	se, lui-même		
herself	se, elle-même	**themselves**	se, eux-mêmes
itself	(pas une personne)		

Exercice 91

Complétez:

1 **Did she do it all ...?**	A-t-elle tout fait elle-même?
2 **The house ... cost a million.**	La maison seule a coûté un million.
3 **You only did it for ...**	Tu ne l'as fait que pour toi.
4 **I saw him ...**	Je l'ai vu (de mes propres yeux).
5 **We're going to be there ...**	Nous y serons (nous aussi).
6 **The people ... are all right.**	Les gens eux-mêmes sont bien.
7 **The boss ... agrees.**	Même le chef est d'accord.
8 **You haven't been there ...?**	Vous n'y êtes pas allés en personne?

La différence entre **yourself** et **yourselves** s'explique simplement par le nombre: **yourself** si vous parlez à une personne, **yourselves** si vous vous adressez à plus d'une.

Les mots que vous venez d'apprendre ont une double fonction. Ils servent aussi dans les tournures réflexives.

Please help yourself.	Veuillez vous servir (litt.: aider).
I ask myself this question.	Je me pose cette question.
He's going to hurt himself.	Il va se faire (du) mal.

Exercice 92

Traduisez:

1 **They all want to make themselves richer.** (**make** – faire)
2 **I couldn't stop myself from laughing.** (**stop** – empêcher; **laugh** – rire)
3 **You have to look after yourself.** (**look after** – s'occuper de)
4 **It's a bit banal. It repeats itself too much.** (**a bit** – un peu)
5 **We must decide for ourselves.** (**decide** – décider)
6 **He keeps himself very fit.** (**keep** – garder; **fit** – en forme)
7 **She's cut herself.** (**cut** – couper, coupé)
8 **Make yourselves at home.** (**at home** – chez vous)

Puisque nous y sommes, vous pouvez également apprendre ces tournures:

by myself, by himself, by ourselves	tout seul
She went to America by herself.	Elle est allée en Amérique toute seule.
They were by themselves all day.	Ils sont restés tout seuls pendant toute la journée.

CONVERSATION

Gillian	**I'm going home now.**	Je rentre chez moi maintenant.
Catherine	**That's not like you.**	Ça ne te ressemble pas.
Gillian	**What do you mean?**	Que veux-tu dire?
Catherine	**You usually stay longer.**	D'habitude, tu restes plus longtemps.
Gillian	**You mean I make myself a pest?**	Tu veux dire que j'embête tout le monde. (litt.: je me rends empoisonneuse)
Catherine	**I didn't say that. I mean you're more sociable, usually.**	Je n'ai pas dit cela. Je veux dire que tu est plus sociable, d'habitude.
Gillian	**Well, I'm older now. I like being by myself.**	Oui, mais je suis plus vieille maintenant. J'aime être toute seule.
Catherine	**Well, see you tomorrow.**	Bien, à demain.

92 each other (se)

They love each other madly. [ITCH ADHA] Ils s'aiment follement.

Each other est une tournure très pratique car elle lève l'ambiguité de phrases telles que 'Ils s'aiment', 'Nous nous aimons'. **We love ourselves** signifie que chacun de nous s'aime; **We love each other** signifie que chacun aime l'autre.

Exercice 93

Complétez:

1	**The children look at ... in the mirror.**	Chaque enfant regarde sa propre image dans le miroir.
2	**The children look at ... in the mirror.**	Chaque enfant regarde les autres dans le miroir.
3	**The students helped ...**	Les étudiants se sont servis seuls.
4	**The students helped ...**	Les étudiants se sont servis mutuellement.
5	**They understand ... better.**	Chacun comprend mieux l'autre.
6	**Can you identify ...?**	Pouvez-vous donner votre identification?

93 Le passif

Is the train expected soon?	Le train est-il attendu pour bientôt?
Those people are paid too much.	Ces gens sont trop payés.
The cups are made of plastic.	Les tasses sont en plastique.

Le passif en anglais est comparable au passif en français, mais il est beaucoup plus fréquent. Là où le français emploiera 'on' – 'on fait ça' – l'anglais aura probablement recours au passif: 'C'est fait', **It is done**.

The house is being redecorated.	On est en train de réarranger la maison.
Are you being treated well?	Es-tu bien traité?/Te traite-t-on bien?

Souvenez-vous que **be -ing** s'emploie pour des actions temporaires ou qui se déroulent dans le présent.

It has never been done.	Ça n'a jamais été fait.
Have you been invited to the party?	As-tu été invité à la soirée?

Souvenez-vous que **have -ed** s'emploie pour des actions commencées dans le passé et se prolongeant dans le présent.

She was killed in a car crash.	Elle s'est tuée dans un accident de voiture.

Will I be given a visa?	Va-t-on me donner un visa?
Would you like to be met?	Voulez-vous qu'on vous y retrouve?

Dans chaque cas, on utilise la forme appropriée de **be** et le participe passé.

Exercice 94

Traduisez:

1 **The criminal was taken to prison.** **(take, taken** – emmener, emmené)
2 **You will be informed in the morning.** **(inform** – informer)
3 **He can't be expected to do that.** **(expect** – s'attendre à)
4 **She's been drugged.** **(drug** – droguer)
5 **Three cups were broken.** **(break, broken** – casser, cassé)
6 **The car's being repaired at the moment.** **(repair** – réparer)
7 **The government is elected for five years.** **(elect** – élire)

94 Questions

Where do you come from?	D'où venez-vous?
What is he talking about?	De quoi parle-t-il?
Who did you talk to?	A qui as-tu parlé?
Who did she dance with?	Avec qui a-t-elle dansé?

Ceci vous montre l'ordre normal des mots dans les questions de ce genre. Cela vous paraîtra peut-être bizarre, mais habituez-vous-y.

CONVERSATION

Mr Samson	**Tell me about yourself. Where do you come from, etc.**	Parlez-moi un peu de vous. D'où vous venez, etc.
George	**Well, I was born in Yugoslavia. But then my father was moved to Switzerland. I went to school in Lausanne, and I went to college there, too.**	En bien, je suis né en Yougoslavie. Mais mon père fut muté en Suisse. Je suis allé à l'école à Lausanne et je suis allé à l'université de cette ville.
Mr Samson	**You studied metallurgy there.**	Vous y avez étudié la métallurgie.
George	**That's right.**	C'est exact.
Mr Samson	**Were you interested in other things there? Clubs? Societies?**	Etiez-vous interessé par d'autres choses? Des clubs, des associations?
George	**I was quite active in student politics.**	J'ai participé assez activement à la vie politique estudiantine.

95 than (que)

A kilometre is less than a mile. [LES DHeN]	Un kilomètre, c'est moins long qu'un mile.
New York is bigger than Washington.	New York est plus grand que Washington.
I do better work than you do.	Mon travail est meilleur que le tien.
She's older than me.	Elle est plus âgée que moi.

Ceci est la façon la plus normale de formuler des comparaisons; parfois, certains Anglais discuteront le dernier exemple et diront que **She's older than me** est incorrect, que l'on devrait dire **She's older than I**. En fait, vous entendrez rarement cette dernière tournure. Mais en cas de problème, jouez la carte de la sécurité en disant **She's older than I am**, qui fera l'unanimité.

96 as (que)

She's as old as I am. [AEZ OULD eZ]	Elle est aussi âgée que moi.
English is not as difficult as French.	L'anglais n'est pas aussi difficile que le français.
It can't be as much as a hundred dollars.	Ça ne peut pas coûter autant que 100 dollars.

Exercice 95

Complétez:

1	**Are you (cold) I am?**	... aussi froid que ...
2	**Nothing is (important) to him ... his work.**	Rien n'a plus d'importance pour lui que son travail.
3	**He is (rich) Croesus.**	... aussi riche que ...
4	**Is this car (fast) your old one?**	... plus rapide que ...
5	**She is (pretty) her sister.**	... plus jolie que ...
6	**It was (bad) I expected.**	... pire que ...
7	**I'd like something (expensive) that.**	... moins cher que ...
8	**It's not (far) ten kilometres.**	... à plus de ...

97 On the telephone (Au téléphone)

Hello? [HeLOU]	Allô, oui?
This is Hubert. [DHiS iZ]	C'est Hubert.
Can I speak to Mr X? [KeN AI SPIK TU]	Pourrais-je parler à M. X?
Speaking. [SPIKiNG]	C'est moi-même.
I'm calling from the station. [AIM KORLiNG]	J'appelle de la gare.

Et à la fin de la conversation, vous pouvez dire **Goodbye** [GUBAI] (Au revoir).

Exercice 96

Trouvez les phrases appropriées pour compléter cette conversation:

Marie	**Hello?**
	(1)
Marie	**My name is Baker, Marie Baker.**
	(2)
Marie	**Yes, I want to change a booking.**
	(3)
Marie	**I have a flight booked for tomorrow.**
	(4)
Marie	**To Los Angeles. I want to go the next day.**
	(5)
Marie	**That's right.**
	(6)
Marie	**Thank you.**
	(7)
Marie	**Goodbye.**

(a) **Yes, can I help you?**
(b) **Can I have the details, please?**
(c) **Translantic Travel, good afternoon.**
(d) **On Thursday?**
(e) **That's all arranged, Miss Baker.**
(f) **Not at all.** (De rien.) **Goodbye.**
(g) **Where to?**

CONVERSATION

Martin	**Hello?**	Allô?
George	**Hello, Martin?**	Allô, Martin?
Martin	**Speaking.**	Oui.
George	**It's George.**	C'est George.
Martin	**Hello, George. How's life?**	Salut George. Comment ça va?
George	**The same as usual. Look, can I come and see you tomorrow?**	Comme d'habitude. Ecoute, pourrais-je venir te voir demain?
Martin	**Sure. What's it about?**	Bien sûr. A propos de quoi?
George	**It's a bit delicate.**	C'est un peu délicat.
Martin	**Is it something to do with your brother?**	Est-ce que ça a quelque chose à voir avec ton frère?
George	**Yes, that's right.**	Oui, c'est ça.
Martin	**Drunk again?**	Encore ivre?
George	**No. It's worse than that.**	Non. C'est pire que ça.

98 Noms employés comme adjectifs

Vous vous êtes certainement rendu compte que l'adjectif n'a pas la même place en anglais qu'en français. Le nom vient à la fin d'une suite de mots: **a very friendly policeman** (un agent de police très aimable). L'ordre des mots est pratiquement renversé. Vous pouvez utiliser cet ordre pour adjectiver un nom:

a London taxi	un taxi londonien
a summer evening	un soir d'été
a design consultant	un conseiller en dessins d'études
a car door	une portière de voiture

Exercice 97

Raccourcissez ces formes inusitées:

1	**some cheese from Gruyère**	du Gruyère
2	**a dress made of cotton**	une robe en coton
3	**a band on the head**	un bandeau
4	**a worker in the office**	un employé de bureau
5	**a train in the morning**	un train partant le matin
6	**a sandwich with ham**	un sandwich au jambon
7	**soup made with fish**	soupe de poisson
8	**a hospital for maternity**	une maternité

99 Ordre des adjectifs

Lorsque vous êtes en présence de plus d'un adjectif, celui dérivé d'un nom se place à la fin: **an old London taxi** (un vieux taxi londonien), **a beautiful summer evening** (un beau soir d'été). Autrement, l'ordre est taille puis couleur puis matière: **a long/short** (long/court) **green/brown** (vert/marron) **nylon/cotton** (nylon/coton) **robe** (robe). Une qualité, telle que **good/bad/pretty** (bon/mauvais/joli) vient en premier.

Exercice 98

Mettez ces mots dans le bon ordre:

1 **a sandwich, expensive, ham**
2 **a dress, black, small**
3 **a bag, plastic, big**
4 **a car, red, sports, small**
5 **a house, little, pretty**
6 **a wine, good, red**

100 Adjectifs composés

a forty-hour week (a week of forty hours)	une semaine de 40 heures
a six-man group (a group of six men)	un groupe de 6 hommes

Premièrement, le pluriel passe au singulier en position avancée (**men** devient **man**). Deuxièmement, un trait d'union doit relier les deux parties de l'adjectif. Ainsi, un billet de 10 dollars devient **a ten-dollar bill**. L'anglais britannique utilise **note** au lieu de **bill**, donc un billet de 10 livres anglaises devient **a ten-pound note**.

Exercice 99

Récrivez ces groupes de mots sous leur forme plus courante:

1 **a delay of thirty minutes** (**delay** – retard)
2 **a note of a hundred francs**
3 **a car with four doors**
4 **a dinner of five courses** (**course** – plat)
6 **a walk of ten kilometres**
7 **a group all of women**

CONVERSATION

(In a department store)		*(Dans un grand magasin)*
Michelle	**Excuse me.**	Excusez-moi.
Woman	**Yes. Can I help you?**	Oui. Vous désirez?
Michelle	**Please. I'm looking for some shoes.**	Oui. Je cherche des chaussures.
Woman	**Are they for yourself?**	Pour vous?
Michelle	**Yes.**	Oui.
Woman	**Fashion shoes or sports wear?**	Des souliers ou des chaussures de sport?
Michelle	**Sports wear.**	Des chaussures de sport.
Woman	**Ladies' sports wear is on the third floor.**	Les articles de sport pour femmes sont au troisième étage.
Michelle	**Thank you.**	Merci.
Woman	**You're welcome.**	Je vous en prie.

101 Nombres

1/2 **half** [HARF]
1/3 **a third** [THERD]
1/4 **a quarter** [KOUORTA]
1/5 **a fifth** [FIFTH]
1/6 **a sixth** [SIKSTH]

half an hour [HARF eN AUA]	une demi-heure
a half-hour [A HARF AUA]	une demi-heure
one and a half hours	une heure et demie
an hour and a half	une heure et demie
a quarter of an hour	un quart d'heure
a tenth of a millimetre	un dixième de millimètre

Exercice 100

Entraînez-vous avec ces exemples:
1 **I had 1/2 a cup of coffee.** (**a cup** – une tasse)
2 **2/3 of the population were affected.**
3 **I feel 1/2 dead.** (**feel** – se sentir; **dead** – mort)
4 **The theatre was 3/4 full.** (**full** – plein)
5 **I bought 1 1/2 kilos of beef.** (**buy, bought** – acheter, achetai; **beef** – bœuf)
6 **We've done 1/4 of the distance.**
7 **I'm tired 9/10 of the time.** (**tire** – fatiguer)
8 **And I'm bored the other 1/10.** (**bore** – ennuyer)

102 at 's (chez X)

Vous vous rappelez sans doute qu'il existe une forme possessive utilisant un s et une apostrophe: **my boss's wife** (la femme de mon chef), **the technicians' union** (le syndicat des techniciens). La même tournure s'emploie pour indiquer que l'on parle d'une maison ou d'un magasin:

I'm staying at my sister's.	Je reste chez ma sœur.
Buy it at the baker's.	Achetez-le à la boulangerie/chez le boulanger.
It was repaired at the jeweller's.	On l'a fait réparer chez le bijoutier.
There's a barbecue at the Smiths'.	Ils font un barbecue chez les Smith.

Notez bien qu'un nom de famille peut prendre la marque du pluriel en anglais: **the Bonapartes** (les Bonaparte).

Exercice 101

Complétez:

1 **You get better food (mother).**	On mange mieux chez ma mère.
2 **She works (hairdresser).**	Elle travaille dans le salon de coiffure.
3 **He's staying (friend).**	Il loge chez son ami.
4 **Beef is often cheaper (butcher).**	Le bœuf est souvent moins cher chez le boucher.
5 **I saw her (doctor).**	Je l'ai vue chez le médecin.
6 **We're meeting (Martine).**	Nous nous retrouvons chez Martine.

La forme possessive est généralement réservée aux personnes, mais s'emploie aussi pour des mesures: **half a day's work** (le travail d'une demi-journée), **ten pounds' worth of petrol** (de l'essence pour 10 livres). A propos, là où l'anglais britannique dit **petrol** pour l'essence, l'américain dit **gas: ten dollars' worth of gas.**

103 Probabilité

certain – certainly	[SERTeN] – [SERTeNLI]
probable – probably	[PROBeBL - PROBeBLI]
possible – possibly	[POSeBL - POSeBLI]
impossible – impossibly	[IMPOSeBL - IMPOSeBLI]
It is possible that I will see you tomorrow.	Il est possible que je te voie demain.
Will he be fired? Certainly.	Sera-t-il renvoyé? Certainement.

CONVERSATION

George	**Wait a minute.**	Attends une minute.
Philip	**What's wrong?**	Qu'est-ce qui ne va pas?
George	**I left my driving licence at your brother's.**	J'ai laissé mon permis de conduire chez ton frère.
Philip	**That's not serious.**	Ce n'est pas grave.
George	**Are you allowed to drive without one?**	Est-ce qu'on peut conduire sans l'avoir sur soi?
Philip	**I don't know. But we can always go back and get it.**	Je ne sais pas. Mais nous pouvons toujours retourner le chercher.
George	**I don't want to be stopped for something like that.**	Je ne veux pas me faire arrêter pour ça.
Philip	**They won't stop you.**	Ils ne t'arrêteront pas.
George	**It's always possible.**	Ce n'est pas impossible.

Leçon 7

104 be able to (pouvoir)

He hasn't been able to do it. [EIBL]	Il n'a pas pu le faire (jusqu'à maintenant).
It's nice, being able to help.	C'est agréable de pouvoir aider.
I'd like to be able to say 'Yes'.	J'aimerais pouvoir dire 'Oui'.

Can et **could** sont tout à fait suffisants pour traduire 'pouvoir' au présent et au passé, mais pas pour d'autres temps. On emploie alors **be able**.

Exercice 102

Complétez en utilisant **can, could** *ou* **be able to:**

1	**I ... see you tomorrow.**	Je ne pourrai pas vous voir demain.
2	**I hope ... see you the next day.**	J'espère pouvoir vous voir le lendemain.
3	**I ... finish it in time.**	Je n'ai pas pu le finir à temps.
4	**It's marvellous, ... swim again.**	C'est merveilleux de pouvoir nager à nouveau.
5	**Since the accident I ... sleep.**	Depuis l'accident, je ne peux pas dormir.

105 who, which, that (qui, que)

He's the man who attacked me. [HU]
He's the man that attacked me. [DHeT]
} C'est l'homme qui m'a attaqué.

Choose a wine that doesn't cost too much. [DHeT]
Choose a wine which doesn't cost too much. [ouiTCH]
} Choisis un vin qui ne coûte pas trop cher.

Who s'emploie pour les personnes, **which** pour tout ce qui n'est pas humain. **That** peut s'utiliser pour ces deux catégories et semblerait s'imposer dans tous les cas pour une personne apprenant l'anglais. Maintenant, examinez ces exemples:

He's the man I'm waiting for.
He's the man who I'm waiting for.
He's the man that I'm waiting for.
} C'est l'homme que j'attends.

Voilà le choix possible lorsque l'on parle d'une personne. Certaines grammaires et certains professeurs vous demanderont d'employer **whom** dans la phrase ci-dessus. Mais ce mot a pratiquement disparu de l'anglais courant, excepté après une préposition: **for whom, with whom,** etc.

They live in a house they bought in 1985. **They live in a house that they bought ...** **They live in a house which they bought ...**	Ils habitent dans une maison qu'ils ont achetée en 1985.

Voilà le choix possible lorsque l'on ne parle pas d'une personne. Après une préposition, **which** est obligatoire: **to which, of which,** etc. Regardez bien les exemples et essayez de trouver la différence entre **the man who attacked me** et **the man (that** ou **who) I attacked**. Cela vous aiderait-il de savoir que dans la deuxième phrase **who** est l'objet? Il est très courant d'omettre **who, that** ou **which** lorsqu'ils sont compléments d'objet. Lorsqu'ils sont sujets, leur omission est impossible.

Exercice 103

Complétez, en utilisant **who, whom, which, that,** *ou rien du tout:*

1 **English is the only language ... I know.** **(only** – seul)
2 **He said something ... I don't understand.** **(understand** – comprendre)
3 **The people ... were there liked it.**
4 **You're the one ... I love.**
5 **You're the one ... loves me.**
6 **He's bought a car ... goes at 210 kph.**
7 **He drove it at 210 kph, for ... he was fined £400.** **(fine** – donner une amende)

CONVERSATION

George	**I want the office that deals with insurance.**	Je veux le bureau qui s'occupe des assurances.
Official	**Sorry, you'll have to come back later.**	Désolé, mais il vous faudra revenir plus tard.
George	**Why? All I'm asking is where? It's not a difficult question.**	Pourquoi? Tout ce que je demande, c'est où il se trouve. Ce n'est pas une question difficile.
Official	**The man who can answer it isn't here.**	La personne qui peut y répondre n'est pas ici.
George	**Is no one else able to answer it?**	N'y a-t-il personne d'autre pour y répondre?
Official	**Officially, no.**	Officiellement, non.
George	**And unofficially?**	Et officieusement?
Official	**It's the second door on your left.**	C'est la deuxième porte à gauche.
George	**Thanks.**	Merci.
Official	**But it's closed today.**	Mais, c'est fermé aujourd'hui.

106 enough, quite, rather (assez)

Enough is enough. [iNAF]	Assez, c'est assez.
I've had enough.	Ça suffit./J'en ai assez.
That's more than enough for me.	C'est plus que suffisant pour moi.
It's not hot enough.	Ce n'est pas assez chaud.
He's good enough for the team.	Il est assez bon pour l'équipe.

Enough se place derrière l'adjectif qu'il modifie.

It's quite a long way. [KOUAIT] **It's rather a long way** [RARDHA]	C'est assez loin.
He's quite a good player.	C'est un assez bon joueur.
He's rather good.	Il est assez bon.

Enough signifie 'suffisamment', **quite** et **rather** 'modérément', 'pas trop'. Les anglais trouvent étrange qu'un seul mot 'assez' puisse couvrir ces deux sens. **Quite rich** ne veut pas dire la même chose que **rich enough**. En fait, s'il s'agit de quelqu'un qui veut épouser votre fille, **quite rich** et **rich enough** sont loin d'être synonymes!

Quite et **rather** se placent devant l'adjectif *et l'article:* **rather/quite a good player.** Ils n'obéissent donc pas à l'ordre parfaitement régulier des mots anglais. Des mots comparables tels que **very** (très) ou **fairly** (raisonnablement) se comportent normalement: **a very good player, a fairly good player.**

Exercice 104

Complétez en utilisant **quite, rather, enough** *ou* **very***:*

1	**It's (difficult) question.**	C'est une question passablement difficile.
2	**That's (good) for children.**	C'est assez bien pour des enfants.
3	**It's not (good) for me.**	Ce n'est pas assez bien pour moi.
4	**A city of a million is (big) one.**	Une ville d'un million d'habitants est une ville moyennement grande.
5	**A city of ten million is (big) one.**	Une ville de dix millions d'habitants est une très grande ville.
6	**He got (bad) shock.**	Il a reçu un assez grand choc.
7	**He's not (stupid) man for that.**	Il n'est pas assez stupide pour ça.
8	**We had (nice) time in Paris.**	Nous avons passé un séjour relativement agréable à Paris.
9	**In fact, we had (nice) time.**	En fait, nous nous sommes beaucoup amusés.

107 Mesures

m **metres** [MITAZ]
km **kilometres** [KiLeMITAZ ou KiLOMiTeZ]
kg **kilos, kilograms** [KILOUZ, KILeGRAEMZ]
l **litres** [LITAZ]
° **degrees** [DeGRIZ]

16.50°C	**sixteen point five degrees Celsius**
1.65 m	**one metre sixty-five**
15m²	**fifteen square metres** [SKOuEA]
90 kph	**ninety kilometres an hour**
4.2%	**four point two per cent**

Les pays anglophones utilisent également d'autres unités de mesure: pour les distances, les **miles** [MAILZ] (1 m = 1.6 km), **feet** [FIT] (1 ft = 30 cm); pour les volumes, **gallons** (1 gal. = 4.5 l); pour les poids, **pounds** (1 lb = 454 g); pour les températures, **degrees Fahrenheit** (32°F = 0°C).

Exercice 105

Exercez-vous en lisant ou écrivant ces abréviations en entier:

1 **He has a temperature of 37.50°.**
2 **You aren't allowed more than 20 kg.** **(allow** – permettre)
3 **The house was 2 km from the sea.** **(sea** – mer)
4 **He's quite tall: about 1.80 m or 1.85 m.**
5 **The tank's not empty; 15 l should be enough.** **(empty** – vide; **tank** – réservoir)
6 **The speed limit is 100 kph.** **(speed** – vitesse)
7 **The sea's about 18°; warm enough for swimming.** **(swim** – nager)
8 **He's about 90 kg; he wants to lose 1 kg a week.** **(lose** – perdre)

CONVERSATION

Paul	**Do you remember John?**	Tu te souviens de John?
André	**The person who was here last week?**	La personne qui était là la semaine dernière?
Paul	**No. He hasn't been here.**	Non. Il n'est jamais venu ici.
André	**What does he look like?**	Comment est-il?
Paul	**He's quite big and heavy. Taller than you.**	Il est assez gros. Plus grand que toi.
André	**With short dark hair?**	Avec des cheveux courts et bruns?
Paul	**That's right.**	C'est ça.
André	**He was here last week.**	Il était ici la semaine dernière.
Paul	**No he wasn't.**	Non.
André	**Anyway, what about him?**	Enfin bref, qu'est-ce qu'il a?
Paul	**I can't remember now.**	Je ne m'en souviens plus maintenant.

108 Sans article

Vous avez peut-être déjà remarqué qu'en de nombreuses occasions en anglais, l'article n'est pas employé ou pas nécessaire. Nous n'avons jusqu'à maintenant mentionné que le pluriel indéfini: **people, cars** (des gens, des voitures). Mais l'article peut être omis au singulier parfois, par exemple devant les noms de sport:

He plays tennis.	Il joue au tennis.
I like chess.	J'aime jouer aux échecs.
We're watching football.	Nous regardons le football.

Ou devant les noms de repas:

We're having breakfast. [BREKFeST]	Nous prenons le petit déjeuner.
He'll have lunch at home. [LANTCH]	Il déjeunera à la maison.
Why not come to dinner? [DiNA]	Pourquoi ne pas venir dîner?

Et devant certains noms abstraits:

How's life?	Comment ça va? (litt.: Comment va la vie?)
Love is blind.	L'amour est aveugle.

Peut-être les Anglais considèrent-ils **breakfast** et **football** comme des choses indéfinies ou abstraites. Ces mêmes mots sont précédés d'un article lorsque d'autres éléments les rendent plus spécifiques:

I'd like the life of a pop star.	Je voudrais mener la vie d'une pop star.
He needs the love of a good woman.	Il a besoin de l'amour d'une brave femme.
The football this year is disastrous.	Cette année le football est catastrophique.

Lorsqu'un Français dit **She likes the life,** les Anglais se demandent tout de suite de quelle vie il s'agit. 'La vie' dans son sens général n'a pas d'article en anglais: c'est simplement **life**.

Certains endroits se comportent comme des abstractions: **hospital**, **prison**, **school** (école). **She's in hospital** signifie qu'elle est une patiente. **She's in the hospital** se dit de quelqu'un qui est peut-être en visite, mais qui n'est pas traité a l'hôpital. **I learnt that at school** signifie 'Je l'ai appris à l'école (lorsque j'étais élève).'

Ce qui est agaçant, c'est que les mêmes choses ne sont pas considérées comme indéfinies ou abstraites dans toutes les langues. Ainsi, pour l'Anglais, les produits de base entrent dans cette catégorie:

bread and wine	du pain et du vin
oil and vinegar	de l'huile et du vinaigre
They export copper and cement.	Ils exportent du cuivre et du ciment.

Ces mots sont décrits comme étant non-comptables. Alors que l'on peut compter **a banana, two bananas, three bananas; an orange, two oranges,** etc., on ne peut pas compter une masse de **fruit** (fruit) ou de **water** (eau), de **bread** ou de **wine**. Cependant, ces non-comptables peuvent se transformer en compatables: **Two sugars, please,** 'Deux sucres, s'il vous plaît'. **It's quite a good wine,** 'Ce vin est assez bon'. Beaucoup de mots très courants comptables en français ne le sont pas en anglais. En voici quelques-uns qui apparaissent toujours dans les examens des traducteurs:

furniture les meubles	**It's expensive furniture.**
traffic la circulation	**There was heavy traffic.**
work le travail	**He hasn't got work.**
luggage les bagages	**The rack is for luggage.**
weather le temps	**What nice weather!**
advice l'avis	**I need advice.**

Beaucoup de Français ne voient pas la logique de ce système et persistent à dire **the life** pour 'la vie'. Si cela vous semble également absurde, contentez-vous de revoir la leçon d'aujourd'hui et d'apprendre chaque exemple.

CONVERSATION

Joanne	**What do we need?**	De quoi avons-nous besoin?
Helen	**Bread, butter, sugar, tea.**	De pain, de beurre, de sucre et de thé.
Joanne	**Milk, some oranges.**	De lait et de quelques oranges.
Helen	**Oil.**	Et d'huile.
Joanne	**You're going to help.**	Tu vas m'aider.
Helen	**Sorry. I'm going out. I'm going to work.**	Désolée. Je sors. Je vais travailler.
Joanne	**I'll have to do it all myself.**	Je vais devoir tout faire moi-même.
Helen	**Yes, it looks like it.**	Oui, j'en ai bien l'impression.
Joanne	**It's not fair.**	Ce n'est pas juste.
Helen	**That's life.**	C'est la vie.

109 used to

I used to play football a lot. [YUST Te]	Je jouais beaucoup au football, avant.
He used to be in the army, once.	Il était dans l'armée, avant.
I used to admire her.	Je l'admirais, avant.

C'est une tournure figée qui n'apparaît qu'au passé, jamais au présent. Elle exprime le fait (a) qu'il s'agit d'une chose habituelle; (b) que cela est terminé; et (c) que cela se passait il y a assez longtemps, et non pas hier ou la semaine dernière. Les Anglais ont beaucoup de difficultés à formuler une négation ou une question. **Used you to? Did you used to? Did you use to? I didn't use(d) to, I usedn't to.** En général, ils essaient de les éviter. Après tout, **I used not to believe** (Je ne croyais pas, avant) peut facilement se transformer en **I used to doubt** (Je doutais).

Exercice 106

Transformez en utilisant **used to**:

1 **He (was) my friend.**
2 **They (lived) next door to us.**
3 **That was where we (met) our friends.** (rencontrer)
4 **In the old days, people (believed) everything.** (croire)
5 **Is this what you (looked) like?** (paraître)

110 was -ing

I was working, you were working, etc.	Je travaillais, tu travaillais, etc.
They weren't working.	Ils ne travaillaient pas.
Was he working?	Est-ce qu'il travaillait?
At ten o'clock I was watching TV.	A 10h j'étais en train de regarder la télé.
I was having a bath and the phone rang.	J'étais en train de prendre un bain quand le téléphone a sonné.
At seventy he was still working.	A 70 ans, il travaillait encore.

Cette forme se compose du passé de **be** et de la terminaison **-ing**. Elle exprime le fait que quelque chose se passait avant, pendant et après autre chose et englobe toute une période passée.

I was working from two o'clock till three.	J'ai travaillé de 2 à 3 heures.
What were you doing last week?	Que faisais-tu la semaine dernière?

Exercice 107

Complétez, en utilisant **was/were -ing**:

1	**He (study) yesterday. I saw him. He (play) football.**	Il n'étudiait pas hier. Je l'ai vu. Il jouait au football.
2	**What happened? ... (drive) too fast?**	Conduisais-tu trop vite?
3	**That's the man we (wait) for.**	
4	**I (try) to be useful.**	J'essayais de me rendre utile.
5	**At that time my parents (live) in the north.**	
6	**I called, but she (work).**	
7	**There was a noise. ... (argue)?**	Est-ce qu'ils se disputaient?
8	**Sorry. I (think).**	Je n'avais pas réfléchi.
9	**... (expect) someone for dinner?**	Attendais-tu quelqu'un ...

111 ago (il y a)

How long ago was that? [eGOU]	Il y a combien de temps de cela?
I came here four years ago.	Je suis venu ici il y a 4 ans.
A month ago I was sitting in the sun, enjoying myself.	Il y a un mois, j'étais assis au soleil, je prenais du bon temps.

CONVERSATION

Jeremy	**Did you see that man who was talking to me a minute ago?**	As-tu vu l'homme qui me parlait il y a une minute?
Nick	**Yes.**	Oui.
Jeremy	**He insulted me.**	Il m'a insulté.
Nick	**What were you doing?**	Qu'est-ce que tu faisais?
Jeremy	**Nothing.**	Rien.
Nick	**People don't insult you for nothing.**	On n'insulte pas les gens pour rien.
Jeremy	**I tell you I was doing absolutely nothing at all.**	Je te dis que je ne faisais rien du tout.
Nick	**Not singing rude songs?**	Tu ne chantais pas de chansons grossières?
Jeremy	**Of course not.**	Bien sûr que non.
Nick	**You always used to sing.**	Tu chantais toujours avant.
Jeremy	**I stopped doing that.**	J'ai arrêté.
Nick	**How did he insult you?**	Qu'est-ce qu'il t'a dit comme insultes?
Jeremy	**He called me an idiot.**	Il m'a traité d'idiot.
Nick	**He must know something.**	Il doit savoir quelque chose.

112 own

my own, your own, their own [OUN]	
She cuts her own hair.	Elle coupe ses cheveux elle-même.
People used to make their own bread.	Les gens faisaient leur pain eux-mêmes, avant.

Notez aussi que **on X own** signifie 'seul': **I was on my own all day,** 'J'étais seule toute la journée'.

Exercice 108

Traduisez:

1 **I have no sympathy for you. It's all your own fault.**
2 **Romans used to take their own lives.** (**take** – prendre; **life** – vie)
3 **They did it all on their own.**
4 **He killed his own brother.** (**kill** – tuer)
5 **She'll be late for her own funeral.** (**late** – en retard; **funeral** – enterrement)

113 Directions

(to the) north [NORTH]	(au) nord
south [SAUTH]	sud
east [IST]	est
west [OUEST]	ouest
to the left, on the left [LEFT]	à gauche, sur la gauche
to the right, on the right [RAIT]	à droite, sur la droite
straight, straight on [STREIT]	tout droit
back, go back [BAEK]	en arrière, retourner
to direct someone [DeREKT]	indiquer la direction à qqn

Exercice 109

Traduisez:

1 **You'll have to go back the way you came.** (**the way** – le chemin)
2 **Go into the town. Someone can direct you from there.**
3 **Take the first left, and then it's straight on.**
4 **You have to go to the right, round the square.** (**square** – place)
5 **In Great Britain they drive on the left.**
6 **Can you direct me to the airport, please?**
7 **There's a service station twenty kilometres north of here.**

Exercice 110

Complétez le dialogue en choisissant les phrases données ci-dessous:

Visitor **Excuse me.**
(1)
Can you tell me the way to the central station? (station – gare)
(2)
By car.
(3)
Yes.
(4)
Is it far?
(5)
Thank you very much.
(6)

(a) **About five minutes.**
(b) **You're welcome.**
(c) **Are you going on foot or by car?**
(d) **Yes. Can I help you?**
(e) **Go left here. You'll come to a roundabout.** (rond-point)
(f) **Go right, and then it's straight on.**

CONVERSATION

Martin	**I haven't got any friends.**	Je n'ai pas d'amis.
Philippa	**It's your own fault.**	C'est de ta faute.
Martin	**What do you mean?**	Que veux-tu dire?
Philippa	**You're so cold to people. You should be warmer, more sociable, more extrovert.**	Tu es si froid avec les gens. Tu devrais être plus chaleureux, plus sociable, t'extérioriser plus.
Martin	**I used to be like that.**	J'etais comme ça, avant.
Philippa	**Yes? And then?**	Oui, et alors?
Martin	**And then Marie left me.**	Alors, Marie m'a quitté.
Philippa	**You can't live in the past. Go out tonight and make some new friends.**	Tu ne peux pas vivre dans le passé. Sors ce soir et fais-toi de nouveaux amis.
Martin	**Where?**	Où?
Philippa	**I don't know where. Just go up to someone and say 'Hi'.**	Je ne sais pas. Approche-toi simplement de quelqu'un et dis-lui 'Salut!'
Martin	**I think I prefer being on my own.**	Je crois que je préfère rester seul.

114 -est, most

big, bigger, biggest [BIGeST]	le plus grand
old, older, oldest [OULDeST]	le plus vieux
strange, stranger, strangest [STREINDZHeST]	le plus étrange
happy, happier, happiest [HAEPIeST]	le plus heureux
good, better, best [BEST]	le meilleur
bad, worse, worst [OUERST]	le pire
far, farther, farthest [FARDHeST]	le plus loin
much, more, most [MOUST]	le plus
little, less, least [LIST]	le moindre, le moins
important, more important, most important	le plus important
careful, more careful, most careful	le plus prudent

Comme vous le voyez, les règles de formation du comparatif s'appliquent au superlatif (le plus X). (Reportez-vous aux Sections 88 et 89 si vous voulez vous rafraîchir la mémoire.)

It's the biggest in the world.	C'est le plus grand du monde.
The worst thing was the dancing.	Le pire, c'était de danser.
It's the most expensive hamburger I've ever seen.	C'est le hamburger le plus cher que j'ai jamais vu.

The n'est pas toujours nécessaire:

The green one is strongest. [STRONGGeST]	Le vert est le plus fort.
It looks best in summer.	C'est plus joli en été.
Do your best.	Fais de ton mieux.
It's New York's most famous restaurant.	C'est le restaurant le plus connu de New York.

Exercice 111

Complétez. Faites attention à l'orthographe:

1	**It's (hot) in May and June but (hot) of all in July.**	Il fait plus chaud en mai et juin, mais c'est en juillet qu'il fait le plus chaud.
2	**It's the (high) mountain in Mexico.**	C'est la plus haute montagne du Mexique.
3	**I eat (much) at breakfast.**	Le petit déjeuner est mon plus gros repas.
4	**She's the (pretty) of the three.**	C'est la plus jolie des trois.
5	**She's also the (amusing).**	C'est aussi la plus drôle.
6	**I think it's (easy) to go on foot.**	Je crois que le plus facile, c'est d'y aller à pied.
7	**It was the (bad) experience of my life.**	Ce fut la pire expérience de ma vie.

8 **Pick the (red) ones.**	Cueille les plus rouges.
9 **It's the (little) I can do.**	C'est le moins que je puisse faire.

Exercice 112

Complétez le texte:

I (1) ... sitting on my own at home, doing (2) ... . The phone rang. It was a friend (3) ... wanted help. He (4) ... decorating an apartment, and found (5) ... in difficulties. 'It's not as easy (6) ... I expected,' he said. 'I started two days (7) ... and it's worse (8) ... it was before. (9) ... you give me a hand? You're an expert.' (10) ... a fool, I agreed.

J'étais assis, tout seul, à la maison, sans rien faire. Le téléphone sonna. C'était un ami, qui voulait de l'aide. Il retapissait un appartement et rencontrait des difficultés. 'Ce n'est pas aussi facile que je le croyais,' m'a-t-il dit. 'J'ai commencé il y a deux jours et c'est pire qu'avant. Pourrais-tu m'aider? Tu est un expert.' Imbécile que je suis, j'ai accepté de le faire.

CONVERSATION

Mark	**What's the best place for fish round here?**	Quel est le meilleur endroit pour le poisson dans ce coin?
George	**What do you mean? The river?**	Que veux-tu dire? La rivière?
Mark	**No. Idiot.**	Mais non, idiot!
George	**I thought you meant fishing.**	Je croyais que tu voulais dire pour pêcher.
Mark	**No. Fish for eating.**	Non. Du poisson à manger.
George	**A fish shop?**	Une poissonnerie?
Mark	**No. Fish cooked and served with potatoes and asparagus.**	Mais non. Du poisson cuit et servi avec des pommes de terre et des asperges.
George	**A restaurant?**	Un restaurant?
Mark	**Right. Finally.**	C'est ça. Enfin!
George	**Why do you want a fish place?**	Pourquoi veux-tu un restaurant où l'on sert du poisson?
Mark	**It's Jenny. She doesn't eat meat. It's a compromise.**	C'est à cause de Jenny. Elle ne mange pas de viande. C'est un compromis.
George	**I see. You can both eat fish.**	Je vois. Vous pouvez tous les deux manger du poisson.
Mark	**Exactly.**	C'est ça.
George	**I've seen a place. Just near the doctor's. It may not be the best, but it's certainly the nearest.**	J'ai vu un endroit. Juste à côté du docteur. Ce n'est peut-être pas le meilleur, mais c'est certainement le plus proche.

Leçon 8

115 Propositions temporelles

when [OUEN]	quand
before [BEFOR]	avant (de/que)
after [ARFTA]	après (que)
until, till [eNTIL, TIL]	jusqu'à (ce que), avant (de/que)

That was when I was about ten.	C'était quand j'avais environ 10 ans.
It was years before I met her.	Je n'ai pas fait sa connaissance avant des années.
After he left school, he joined the army.	Après l'école, il s'est engagé dans l'armée.
I used to live with my parents, until I was eighteen.	J'ai habité chez mes parents jusqu'à l'âge de 18 ans.

Jusqu'ici, rien de bizarre. Mais regardez plutôt:

When he comes in tomorrow, I'll ask him.	Quand il viendra demain, je lui demanderai.
When the wind stops it'll be nice.	Quand le vent s'arrêtera il fera beau.

Il y a une règle qui veut qu'on ne peut pas employer un futur **will** ou **-ing** ou **going to** dans une proposition temporelle. Vous devez employer le présent, même si le sens indique un futur.

Exercice 113

Traduisez:

1 **I must go to the bank before it closes.**
2 **You never like a song until you've heard it five or six times. (song** – chanson)
3 **After playing tennis for an hour, he was quite tired.**
4 **The phone always rings when you're in the bath. (bath** – bain)
5 **Do you want to use the toilet before we go? (use** – se servir de)
6 **I like to be there an hour before the plane goes. (plane** – avion)
7 **When he wants to be nice he can be very, very nice. (nice** – agréable)
8 **Everything was going well until you arrived.**
9 **After I finish college, I'm going to travel. (travel** – voyager)
10 **Tell me when it's ready. (ready** – prêt)

116 -ing, -ed

It was surprising.	C'était surprenant.
I was surprised.	J'étais surpris.

Exercice 114

Complétez avec **-ing** *ou* **-ed***:*

1 **Playing football is very (tire).** (**tire** – fatiguer)
2 **He's quite (amuse) when he tries.** (**amuse** – amuser; **try** – essayer)
3 **The children were (excite) when you came.** (**excite** – exciter)
4 **He's the most (bore) man in Europe.** (**bore** – ennuyer)
5 **She was quite (amuse) when I told her the story.** (**story** – histoire)
6 **Stop when you are (tire).**

117 Furniture (Meubles)

chair [TCHEA]	chaise	**table** [TEIBL]	table
stairs	escalier	**bed**	lit
bath	baignoire	**toilet**	toilettes
door	porte	**window**	fenêtre

Exercice 115

Traduisez ces questions et répondez-y en anglais:

1 **What do you use for sleeping?** (où dort-on? dans un lit)
2 **Where do you wash yourself?** (**wash yourself** – se laver)
3 **What do you look through?** (**look through** – regarder par)
4 **What do you sit on?** (**sit on** – s'asseoir sur)
5 **Where do you put the dinner?** (**put** – poser)

CONVERSATION

Agent	**That flight takes you to Amsterdam.**	Le vol vous emmène à Amsterdam.
Martin	**And then?**	Et ensuite?
Agent	**After you've arrived at Amsterdam, there's an hour before the Hong Kong flight.**	Une fois que vous êtes arrivés il y a une heure d'attente avant le vol pour Hong Kong.
Martin	**That's not bad.**	Ce n'est pas trop long.
Agent	**No. It's comfortable.**	Non, c'est bien.
Martin	**It's surprising there's no direct flight.**	C'est surprenant qu'il n'y ait pas de vol direct.
Agent	**There used to be one. But this way is just as fast.**	Il y en avait avant. Mais c'est aussi rapide de cette façon.

118 had -ed

I'd (I had) worked, you'd worked [AID, YUD]	j'avais travaillé, tu avais travaillé
He hadn't worked. [HAEDNT]	Il n'avait pas travaillé.
Had they worked?	Avaient-ils travaillé?

De même qu'en français, cette forme s'emploie pour montrer que quelque chose s'est passé avant quelque chose d'autre.

Exercice 116

Complétez, en employant **had**. *Reportez-vous à la Section 76 si vous n'êtes pas sûr des participes passés:*

1	**I (stop) already, when I saw them.**	Je m'étais déjà arrêté quand je les ai vus.
2	**He had no money. He (give) her everything.**	Il n'avait pas d'argent. Il lui avait tout donné.
3	**... (be) there before?**	Y étiez-vous déjà allés?
4	**They (pay).**	Ils n'avaient pas payé.
5	**She (do) well at school.**	Elle avait eu de bons résultats à l'école.
6	**My friend (go) out already.**	Mon ami était déjà sorti.

Il y a donc trois façons d'exprimer des faits passés. Regardez ces phrases et essayez de trouver ce qui les différencie. A quelle vitesse allait-il au moment de l'accident?

When the accident happened, he was stopping.
When the accident happened, he stopped.
When the accident happened, he'd stopped.

Ou bien, ici. Quand est-elle sortie?

She'd gone out when he arrived.
She was going out when he arrived.
She went out when he arrived.

119 The head (La tête)

face [FEIS]	visage	**eye** [AI]	œil
nose [NOUZ]	nez	**mouth** [MAUTH]	bouche
ear [IA]	oreille	**hair** [HEA]	cheveux

Exercice 117

Traduisez ces questions et répondez-y en anglais:

1 **What do you hear with?** (avec quoi entend-on? les oreilles)
2 **What do you eat with?** (**eat** – manger)
3 **What do you see with?** (**see** – voir)
4 **What is above your mouth?** (**above** – au-dessus de)
5 **What is (normally) above your eyes?**

120 isn't it (n'est-ce pas)

It's a nice day, isn't it?	Il fait beau, n'est-ce pas?
It was a nice day, wasn't it?	Il faisait beau, n'est-ce pas?
His mother cooks well, doesn't she?	Sa mère cuisine bien, n'est-ce pas?
The Romans lived well, didn't they?	Les Romains vivaient bien, n'est-ce pas?
I'll see you again, won't I?	Je te reverrai, n'est-ce pas?

Ce genre de **'question-tag'** est extrêmement courant en anglais parlé. C'est vraiment très embêtant pour l'apprenant étranger qui doit se souvenir à la fois du sujet et de la forme du verbe. Ce n'est pas toujours 'n'est-ce pas', mais **wasn't he, can't you** et même **is it** car si la phrase est négative, la **question-tag** est affirmative. **It's not fair, is it?**

Exercice 118

Essayez, et ne vous désespérez pas si cela vous semble impossible:

1 **His eyes are blue, ...?**	Ses yeux sont bleus, n'est-ce pas?
2 **He's American, ...?**	Il est américain, n'est-ce pas?
3 **You can drive, ...?**	
4 **Your brother can't drive, ...?**	
5 **She works at the bank, ...?**	
6 **Your parents arrived yesterday, ...?**	

CONVERSATION

Val	**Who was the girl you were dancing with last night?**	Qui était la fille avec laquelle tu dansais hier soir?
George	**That was Nicola.**	C'était Nicola.
Val	**She'd done something to her hair, hadn't she?**	Elle avait fait quelque chose à ses cheveux, non?
George	**No. I don't think so.**	Non, je ne crois pas.
Val	**But she used to be blonde, didn't she?**	Mais elle était blonde avant, non?
George	**No. You're thinking of Joan.**	Non. Tu confonds avec Joan.
Val	**I'm not. I know Joan very well.**	Pas du tout. Je connais très bien Joan.

121 during, while (pendant)

Enjoy yourself while you can. [OUAIL]	Amusez-vous tant que vous le pouvez.
We were in Bermuda during July. [DYURiNG]	Nous étions aux Bermudes en juillet.
During the night, I heard a noise.	J'ai entendu un bruit pendant la nuit.
While you're here, can you help me?	Pendant que tu es là, tu pourrais m'aider?

Vous voyez la différence: **during** est suivi d'un nom, **while** d'un verbe. En fait, vous pouvez aussi employer **while** suivi de **-ing: While waiting, I read the newspaper** (En attendant, j'ai lu le journal).

Exercice 119

Complétez en employant soit **during** *soit* **while**:

1 **... I was sleeping, someone had come into the house.** (**sleep** – dormir)
2 **He arrived ... lunch.** (**lunch** – déjeuner)
3 **He was injured ... a game of football.** (**injure** – blesser; **game** – match)
4 **He was injured ... he was playing football.**
5 **Such things were common ... the war.** (**such** – tel; **war** – guerre)
6 **She worked ... the college vacation.** (**vacation** – vacances)

Là où l'anglais américain dit **vacation** pour 'vacances', l'anglais britannique dit **holiday(s)**. Mais ces deux mots sont compris de tous.

121 The house (La maison)

bedroom	chambre	**bathroom**	salle de bains
kitchen	cuisine	**living room**	salon
hall	entrée	**dining room**	salle à manger
garage	garage	**garden**	jardin

Exercice 120

Traduisez ces questions et répondez-y en anglais:

1 **Where do you park the car?** (Où gare-t-on la voiture? au garage)
2 **Where do you go to eat?** (**eat** – manger)
3 **Where do you watch television?**
4 **Where do you sleep?**
5 **Where do you wash?**
6 **Where do you make coffee?**

123 Style indirect

He says (that) he's American.	Il dit qu'il est américain.
He said (that) he was American.	Il a dit qu'il était américain.
She thinks I can speak English.	Elle croit que je sais parler anglais.
She thought I could speak English.	Elle croyait que je savais parler anglais.

That est facultatif. A vous de choisir entre **I think that you're wrong** et **I think you're wrong** (Je crois que tu as tort). Si le premier verbe est au passé, le second est également au passé. Ainsi, on dira **We agreed that the earth was round** (Nous avons admis que la terre était ronde). **We agreed that the earth is** (est) **round** est tout à fait correct en anglais, mais moins courant. Cette concordance des temps implique des ajustements: le **is** du style direct devient **was; will** devient **would; can, could;** et **may, might**.

Exercice 121

Traduisez:
1 **He thinks he's an expert.** **(think** – croire/penser)
2 **He tells everyone his father's a millionaire.**
3 **Everyone knows it's not true.** **(true** – vrai)
4 **He once said he could speak Russian.** **(once** – une fois)
5 **We decided we would buy a Russian newspaper.** **(buy** – acheter)
6 **He said he couldn't read it.** **(read** – lire)
7 **He said it was written in a special dialect.** **(write** – écrire)

CONVERSATION

Paul	**Where are you going?**	Où vas-tu?
Susan	**To the kitchen.**	Dans la cuisine.
Paul	**Can you make me a sandwich while you're there?**	Tu peux me faire un sandwich tant que tu y es?
Susan	**Do it yourself.**	Fais-le toi-même.
Paul	**I don't think that's nice. People should help each other.**	Je ne trouve pas cela gentil. Les gens devraient mutuellement s'aider.
Susan	**When did you ever help me?**	Quand m'as-tu jamais aidée?
Paul	**What about that material for your bedroom?**	Et le tissu pour ta chambre?
Susan	**What about it? Where is it?**	Eh bien? Où est-il?
Paul	**I said I'd do it, and I will do it.**	J'ai dit que je le ferai, et je le ferai.
Susan	**Yes, but when?**	Oui, et quand?

124 Questions au style indirect

What's that? I don't know what it is.	Je ne sais pas ce que c'est.
Where does he live? Tell me where he lives.	Dis-moi où il habite.
When was that? Don't ask me when it was.	Ne me demande pas quand c'était.

Comme vous le voyez, l'ordre des mots dans une question au style indirect est le même que dans une affirmation: **Where did he work?** (Ou travaillait-il?) question au style direct se transforme en **She asked me where he worked** (Elle m'a demandé ou il travaillait).

Is that OK? Tell me if that's OK.	Dis-moi si c'est d'accord.
Is it good English? I don't know if it is.	Je ne sais pas si c'est du bon anglais.

Les questions indirectes sont assez fréquentes en anglais, surtout si vous parlez à quelqu'un que vous ne connaissez pas ou si vous voulez être particulièrement poli: **Excuse me, what's the time?** (Pardon, quelle heure est-il?) est tout à fait correct, mais vous entendrez plus souvent **Excuse me, can you tell me what the time is?** (Pardon, pouvez-vous me dire quelle heure il est?)

Exercice 122

Complétez:

1 **Are you ready? Tell me when ...**
2 **How much was it? I know ...**
3 **What does he do? He told me ...**
4 **Where's the toilet? Can you tell me ...**
5 **What does that mean? I don't know ...** **(mean** – signifier)
6 **Are you coming? He asked ...**
7 **Did I enjoy it? I'm not sure ...** **(enjoy** – apprécier)
8 **Can we park here? Ask the policeman ...**
9 **What's the matter? Tell me ...**
10 **When does the train leave? I don't know ...**

125 Ordres au style indirect

(Sit down.) She asked me to sit down.	Elle m'a demandé de m'asseoir.
(Don't go.) She told me not to go.	Elle m'a dit de ne pas partir.

Le mot **to** est suffisant ici. Remarquez l'ordre des mots dans la négation: **I was told not to park here** (On m'a dit de ne pas me garer ici).

Exercice 123

Complétez:

1 **The doctor told me (stay) in bed.** (**stay** – rester)
2 **He advised me (not, get up) for a week.** (**get up** – se lever)
3 **He asked me (tell) him if it got worse.** (**worse** – pire)
4 **He told me (take) the medicine, and (not, tire) myself.** (**tire** – fatiguer)

Exercice 124

Remplissez les blancs:

While we (1) ... waiting for the train, we (2) ... into the buffet for a snack. I (3) ... the man for a coffee, and he said I would have (4) ... wait. When I asked him (5) ... long, he said '(6) ... it's ready', (7) ... was not very helpful. The machine was broken, apparently, and (8) ... it could be repaired they had to get an engineer (9) ... another station.

Pendant que nous attendions le train, nous sommes allés au buffet prendre un casse-croute. J'ai demandé un café au garçon et il m'a dit que j'allais devoir attendre. Quand je lui ai demandé combien de temps, il a dit 'jusqu'à ce que ça soit prêt', ce qui ne me renseignait pas beaucoup. Apparemment, la machine était cassée, et avant qu'elle puisse être reparée, ils devaient faire venir un technicien d'une autre gare.

CONVERSATION

George	**You have to fill in a form.**	Tu dois remplir un formulaire.
Philip	**What sort of a form?**	Quel genre de formulaire?
George	**Obviously, they need your name and address, and phone number.**	De toute évidence, ils ont besoin de ton nom, ton adresse et ton numéro de téléphone.
Philip	**Yes?**	Et puis quoi?
George	**Then they want to know how old you are, where you live, how long you have lived there, where you work, where you went to school.**	Et puis ils veulent savoir quel âge tu as, où tu habites, depuis combien de temps, où tu travailles, où tu es allé à l'école.
Philip	**What sex your grand-mother is.**	De quel sexe est ta grand-mère.
George	**That sort of thing. You know what they're like.**	C'est à peu près ça. Tu sais comment ils sont.
Philip	**It's absurd, isn't it?**	C'est absurde, non?
George	**I suppose they need the information. I can't think why.**	Je suppose qu'ils ont besoin de ces informations. Mais je ne vois pas pourquoi.

126 un-

La plupart des préfixes anglais sont les mêmes qu'en français: **possible, impossible; regular, irregular**. Mais un préfixe très courant en anglais pour exprimer le contraire est **un-**:

happy, unhappy [ANHAEPI]	heureux, malheureux
safe, unsafe [ANSEIF]	sans danger, dangereux
important, unimportant [ANeMPORTeNT]	important, sans importance
friendly, unfriendly [ANFRENDLI]	amical, froid
able, unable [ANEIBL]	capable, incapable
well, unwell	bien, malade

Vous trouverez aussi ce préfixe devant des verbes et des noms: **to undo** (défaire); **an unbeliever** (un non-croyant); **What is made can be unmade** (Ce qui est fait peut être défait). C'est un préfixe 'génératif', c'est-à-dire qu'il peut servir à créer de nouveaux mots. Par exemple, les Américains qualifient certaines activités ou attitudes de **unamerican**. Le mot **unfrench** ne se trouve dans aucun dictionnaire, mais tout le monde comprendrait son sens si vous l'employiez.

127 do and make (faire et faire)

Vous avez peut-être remarqué que **do** et **make** se traduisent tous les deux par 'faire'. Cependant, dans un contexte donné, l'un d'eux seulement sera correct. La différence essentielle est celle-ci: un ébéniste **makes** des chaises; un comptable **does** des comptes. **What are you making?** veut dire 'Que fabriquez-vous?' ou 'Que préparez-vous?' et l'on s'attend à une réponse du genre 'Une maquette de la Tour Eiffel' ou 'Une omelette au fromage'. **What are you doing?** est une question plus générale et la réponse peut aussi bien être 'Je construis une maquette de la Tour Eiffel' que 'Je lis le journal'. **You do exercises, housework** (le ménage), **the cooking** (la cuisine). A l'école, **you do geography or mathematics** et **you do well or badly.**

Mais il existe des expressions figées moins évidentes et qui doivent être apprises par cœur. Vous attendriez-vous à celles-ci, par exemple?

make a noise	faire du bruit
make a mistake [MiSTEIK]	se tromper, faire un erreur
make friends	se faire des amis
make someone tired, angry, happy [AENGGRI]	fatiguer, fâcher quelqu'un, rendre quelqu'un heureux
make a copy [COPI]	faire une copie
make tea or coffee, lunch or dinner	faire du thé ou du café, préparer le déjeuner ou le dîner
make an effort [EFeT]	faire un effort

Exercice 125

A vous d'essayer. **Do** *ou* **make?** *Souvenez-vous que* **make** *devient* **made** *au passé et au participe passé et* **do** *devient* **did** *et* **done***:*

1	**What does he ...? I think he works in a bank.**	Que fait-il? Je crois qu'il travaille dans une banque.
2	**Don't ask me. It's nothing to ... with me.**	Ne me demande pas. Cela n'a rien à voir avec moi.
3	**I'll ... the breakfast.**	Je vais préparer le petit déjeuner.
4	**When you didn't write, you ... her very unhappy.**	Quand tu ne lui écrivais pas, ça la rendait très malheureuse.
5	**We've all ... mistakes in our lives.**	Nous avons tous fait des erreurs dans la vie.
6	**I came last, but at least I ... my best.**	Je suis arrivé le dernier, mais au moins, j'ai fait de mon mieux.
7	**Don't eat that. You'll ... yourself ill.**	Ne mange pas cela. Tu vas te rendre malade.
8	**We didn't ... sociology at school.**	Nous ne faisions pas de sociologie à l'école.

CONVERSATION

Stylist	**Like this?**	Comme ceci?
Marilyn	**No, I'd like it a bit shorter at the front, please.**	Non, je voudrais que ce soit plus court sur le devant, s'il vous plaît.
Stylist	**Who does your hair normally?**	Qui vous coiffe d'habitude?
Marilyn	**Different people. I don't go regularly to any one place.**	Différentes personnes. Je ne vais pas toujours au même endroit.
Stylist	**It makes it easier, when you know someone and you know what they want.**	C'est plus facile quand on connaît quelqu'un et qu'on sait ce qu'on veut.
Marilyn	**Yes. I suppose so.**	Oui. Je suppose que oui.
Stylist	**You know, I did one lady's hair, and I saw her that same evening, and she had undone the whole thing.**	Une fois, j'ai coiffé une dame et je l'ai revue le soir même, et elle avait tout défait.
Marilyn	**I must say, that sounds like someone I know.**	Je dois avouer que ça me rappelle quelqu'un.
Stylist	**Why didn't she say at the time?**	Pourquoi n'avait-elle rien dit quand je la coiffais?
Marilyn	**She probably liked it at the time.**	Elle aimait probablement la coiffure à ce moment-là.

128 say and tell (dire et dire)

Cette fois-ci, il s'agit moins d'une différence de sens que de type de phrase. 'Dire à quelqu'un' se traduit par **To tell someone** ou **To say to someone**, la différence résidant dans la présence de **to**. On emploierait **tell** s'il y avait un interlocuteur mentionné dans la phrase: **He says it's ready** (Il dit que c'est prêt); **He tells me it's ready** (Il me dit que c'est prêt). Mais on dit toujours **tell a story** (raconter une histoire) et **tell the truth** (dire la vérité).

Exercice 126

Complétez. **Say** *ou* **tell**? *N'oubliez pas les formes passées et les participes passés de ces deux verbes:* **said** *and* **told**:

1	**The boss ... we could leave early.**	Le chef a dit que nous pouvions partir tôt.
2	**... me when you've finished.**	Dis-moi quand tu auras fini.
3	**He ... some amusing stories.**	Il raconte des histoires drôles.
4	**He ... some amusing things.**	Il dit des choses amusantes.
5	**Are you enjoying yourself? To ... the truth, no.**	Vous amusez-vous bien? A dire vrai, non.
6	**What did you ... to her?**	Que lui as-tu dit?
7	**I ... her to hurry up.**	Je lui ai dit de se dépêcher.
8	**He never ... me his name.**	Il ne m'a jamais dit son nom.
9	**He never ... who he was.**	Il n'a jamais dit qui il était.

129 be

Vous aurez sans doute remarqué qu'en de nombreuses occasions **be** suivi d'un adjectif se traduit par 'avoir' suivi d'un nom. Par exemple:

be right, wrong [RAIT, RONG]	avoir raison, tort
be hungry, thirsty [HANGGRI, THERSTI]	avoir faim, soif
be cold, hot	avoir froid, chaud
be warm [OUORM]	avoir chaud

Hot est plus chaud que **warm**. Un temps **warm** est agréable; un temps **hot** peut être désagréable. La soupe doit être **hot**. La main d'une personne doit être **warm**. Si elle est **hot**, c'est que la personne a certainement la fièvre.

Exercice 127

Traduisez:

1	J'avais raison.	4	Elle avait soif.
2	Vous aurez froid.	5	Il n'a pas tort.
3	Il fait chaud. (chaleur agréable)	6	As-tu faim?

130 Questions courtes

He says he's English. Does he? Il dit qu'il est anglais. Vraiment?
You won't understand. Won't I? Tu ne comprendras pas. Non?
It's getting on my nerves. Is it? Ça m'énerve. Ah bon?

Ces questions courtes sont caractéristiques de l'anglais parlé. Elles servent à exprimer soit la surprise soit l'attention de l'interlocuteur: 'J'écoute, continuez'. Elles reprennent le sujet et le temps du verbe de la phrase et ressemblent en cela aux **question-tags** (voir Section 120).

Exercice 128

Répondez à l'aide de questions courtes:

1	**I phoned you yesterday.**	Je vous ai téléphoné hier. Ah bon?
2	**He doesn't like music.**	Il n'aime pas la musique. Vraiment?
3	**I'm going to Italy next week.**	
4	**He's finishing his work.**	
5	**He's finished his work.**	
6	**She lives in California now.**	
7	**I'd like to live in California.**	
8	**The police were waiting for him.**	

The police signifie 'les policiers' et est toujours au pluriel.

CONVERSATION

Valerie	**I'm hungry.**	J'ai faim.
Patrick	**Are you?**	Vraiment?
Valerie	**Yes. I am. You said there would be food on the train.**	Oui. Tu m'avais dit qu'il y aurait à manger dans le train.
Patrick	**They told me there was a restaurant car.**	On m'a dit qu'il y avait un wagon-restaurant.
Valerie	**That was a different train.**	C'était un train différent.
Patrick	**Yes. I was wrong.**	Oui. Je me suis trompé.
Valerie	**You were.**	Eh oui.
Patrick	**I made a mistake. Anyone can make a mistake.**	J'ai fait une erreur. Tout le monde peut se tromper.
Valerie	**Some people do it more than others.**	Certaines personnes se trompent plus souvent que d'autres.
Patrick	**Don't be like that.**	Ne sois pas comme ça.

Leçon 9

131 if (si)

I'll help if I can. [IF]	J'aiderai si je peux.
If you do that again, I'll scream.	Si tu recommences, je crie.
If you worked there, you must know George.	Si tu travaillais là-bas, tu dois connaître George.

Jusqu'ici, pas de problèmes. Notez seulement qu'on ne peut pas employer le futur après **if**, seulement le présent ou le passé. Bien sûr, le futur peut être utilisé dans le reste de la phrase: **If it rains tomorrow** (S'il pleut demain) **we'll go to the cinema** (nous irons au cinéma). Il existe une autre façon d'exprimer **if ... not** (sinon): **unless** [eNLES].

It takes ten minutes, unless the traffic's bad.
It takes ten minutes, if the traffic's not too bad.

Exercice 129

Traduisez:
1 **You can do it if you try.**
2 **I'll come tomorrow, if that's all right with you.**
3 **If you like, I'll drive.**
4 **The electricity will be cut off unless you pay the bill.**
5 **I'll drive, unless you'd prefer to.**
6 **If yesterday was Monday, today must be Tuesday.**

132 just

Mr Smith? Sorry. He's just gone out. [DZHAST] **Mr Smith? Sorry. He just went out.**	M. Smith? Je regrette. Il vient juste de sortir.

Etant donné que **has gone** et **went** sont des temps différents, il est difficile pour un professeur de trouver un contexte où ils seraient interchangeables. **Has just gone** est probablement la forme la plus courante en anglais britannique et **just went** plus fréquent en américain, mais les deux formes sont utilisées. Il est probable que dans le deuxième exemple on pense 'il y a deux minutes' et dans le premier 'il n'est toujours pas rentré'. La grammaire anglaise laisse une grande place à ce que vous voulez mettre en valeur. Essayez de repérer les occurrences de **just**.

Exercice 130

Complétez, en employant **just** *et soit* **have** *soit la forme simple du passé:*

1 **I (explain) it all.**	Je viens de tout expliquer.
2 **We (make) some coffee.**	Nous venons de faire du café.
3 **... (telephone) me?**	Viens-tu de me téléphoner?
4 **He (be) paid.**	Il vient d'être payé.
5 **Your mother (tell) me about you when you were a baby.**	Ta mère vient de me raconter comment tu étais quand tu étais bébé.

Just apparaît aussi avec d'autres temps et peut signifier 'juste', 'sur le point de', 'simplement' ou 'seulement'. **He was just asking** (Il demandait, simplement); **He was just a boy then** (Il n'était encore qu'un jeune garçon alors); **Hurry up, the train's just leaving** (Dépêche-toi, le train est sur le point de partir).

Exercice 131

Traduisez:

1 **I won't be two minutes. I'm just doing my hair.** (**hair** – cheveux)
2 **He just escaped being killed.** (**kill** – tuer)
3 **It's just one of those things.**
4 **I had just sat down to dinner when the phone rang.** (**ring** – sonner)
5 **He was here just this morning.**

CONVERSATION

Carol	**Hello?**	Allô?
Sue	**Hello? Carol? This is Sue.**	Allô Carol? C'est Sue.
Carol	**Hi. How's life?**	Salut. Comment ça va?
Sue	**Fine. Listen, we can meet if you're not doing anything.**	Très bien. Ecoute, on peut se voir si tu ne fais rien de spécial.
Carol	**I'm not doing anything. Where are you?**	Non, je ne fais rien de spécial. Où es-tu?
Sue	**I'm in a place called Concord.**	Je suis dans un endroit appelé Concord.
Carol	**Are you? How did you get there?**	Ah? Comment es-tu arrivée là-bas?
Sue	**A friend just gave me a lift. He lives out here.**	Un ami vient de m'amener en voiture. Il vit dans les alentours.
Carol	**Well, wait there. I'll just put on a coat, and I'll be with you.**	Bon, attends-moi. J'enfile un manteau et j'arrive tout de suite.
Sue	**Well, if you can tell me how to get to your place, I can ...**	Si tu me dis comment aller chez toi, je peux ...
Carol	**No, it's easier if I come to you.**	Non, c'est plus facile si c'est moi qui me déplace.

133 -ly (-ement)

La règle de formation des adverbes (ajout de **-ly**: voir Section 75) est un peu différente pour les adjectifs se terminant par **-ic** ou **-le**. Dans le premier cas, on ajoute **-al** à l'adjectif, sans doute par analogie avec **musical, chemical**, etc. Dans le second, le **-le** se transforme tout simplement en **-ly**, probablement pour faciliter la prononciation:

possible, possibly [POSeBLI]	peut-être
electronic, electronically [ELeKTRONiKLI]	électroniquement

Exercice 132

Complétez. Vous devrez peut-être vous reporter à la Section 75:

1	**I will (probable) see you tomorrow.**	Je te verrai probablement demain.
2	**The door closes (automatic).**	La porte se ferme automatiquement.
3	**She was singing (happy).**	Elle chantait, tout heureuse.
4	**He plays the guitar (good).**	Il joue bien de la guitare.
5	**It's fragile. Treat it (gentle).**	C'est fragile. Manipule-le avec précaution.
6	**(Economic), the country is in a bad situation.**	Le pays est dans une mauvaise situation économique.

134 more -ly (plus -ement)

I see him more frequently now. Je le vois plus fréquemment maintenant.
Please drive more carefully. Conduis plus prudemment s'il te plaît.

Le comparatif de supériorité des adverbes est constitué de **more** suivi de l'adverbe. Dans ces cas, vous pouvez employer soit **more -ly** soit le comparatif de supériorité en **-er** de l'adjectif (voir Sections 88—89):

You have to speak louder/more loudly. Il faut parler plus fort.
Please drive slower/more slowly. Conduis plus doucement, s'il te plaît.
You can buy it cheaper/more cheaply there. C'est meilleur marché là.

Les comparatifs des adverbes de temps suivants sont toujours en **-er**:

early	**He came earlier today.**	Il est venu plus tôt aujourd'hui.
late	**I'll leave later tomorrow.**	Je partirai plus tard demain.
long	**It takes longer that way.**	Cela prend plus longtemps par là.
soon	**Can't you do it sooner?**	Ne peux-tu pas le faire plus tôt?

La règle est la même pour les quelques adverbes irréguliers (voir Section 75). Seul le comparatif en **-er** ou irrégulier est possible et non **more**:

well	**He plays better than I do.**	Il joue mieux que moi.
badly	**He plays worse than I do.**	Il joue plus mal que moi.
much	**I love you more every day.**	Je t'aime un peu plus chaque jour.
little	**I love you less every day.**	Je t'aime un peu moins chaque jour.
hard	**You'll have to work harder.**	Tu devras travailler plus dur.
fast	**Please drive faster.**	Conduis plus vite s'il te plaît.
far	**We walked farther than we meant.**	Notre promenade nous a emmenés plus loin que prévu.

La comparaison entre adverbes se fait de la même façon que pour les adjectifs. **As ... as: As far as I know** (Autant que je sache); **than: You know her better than anyone** (Vous la connaissez mieux que personne).

Exercice 133

Complétez:

1	**She speaks English (bad) than me.**	Son anglais est pire que le mien.
2	**I've never worked (hard).**	Je n'ai jamais travaillé plus dur.
3	**In my old job, I used to see him (often).**	Je le voyais plus souvent dans mon ancien travail.
4	**I'll be there (soon) I can.**	J'arrive dès que je le peux.
5	**He repeated it, (emphatic).**	Il l'a répété, avec plus d'insistance.
6	**Can you call me not (late) than Friday?**	Pouvez-vous m'appeler vendredi au plus tard?

CONVERSATION

Martin	**Excuse me. I'm looking for a pullover.**	Excusez-moi. Je voudrais un pull-over.
Assistant	**If it's for yourself, these are very fashionable.**	Si c'est pour vous, ceux-ci sont très à la mode.
Martin	**No, it's not for me, it's for a child.**	Non, ce n'est pas pour moi, c'est pour un enfant.
Assistant	**I see. These are selling well.**	Je vois. Ceux-là se vendent beaucoup.
Martin	**They cost a lot more than the others. What's the difference?**	Ils coûtent beaucoup plus cher que les autres. Quelle est la différence?
Assistant	**They're much better made. They'll last much longer.**	Ils sont d'une meilleure façon. Ils durent plus longtemps.
Martin	**And these, here?**	Et ceux-ci?
Assistant	**They're less high quality but they're still very good.**	Ils sont de moins bonne qualité, mais ils sont tout de même très bien.

135 most -ly (le plus -ement)

You can buy it cheapest here. **You can buy it most cheaply here.**	C'est ici que c'est le moins cher.
She works hardest of all of us.	C'est elle qui travaille le plus de nous tous.
It's the most beautifully written letter I've ever seen.	C'est la lettre la mieux écrite que j'ai jamais vue.

Les règles qui s'appliquent ici sont les mêmes que dans la leçon d'hier: **most -ly** ou **-est** (voir Section 114 pour ces formes).

Exercice 134

Complétez:

1	**Mr Green always arrives (late).**	M. Green arrive toujours le plus en retard.
2	**It's the (bad) designed station in Europe.**	C'est la gare la plus mal conçue d'Europe.
3	**If you travel the (fast), you'll arrive there the (early).**	Si vous voyagez le plus vite, vous y arriverez le plus tôt.
4	**He's (probable) lost.**	Le plus probable, c'est qu'il se soit perdu.
5	**She understands me (good).**	C'est elle qui me comprend le mieux.
6	**He spoke to me (polite).**	Il m'a parlé on ne peut plus poliment.
7	**We saw them (recent) two weeks ago.**	La dernière fois que nous les avons vus, c'était il y a deux semaines.

136 if (si) – suite

Il arrive que **if** introduise une condition hypothétique, voire impossible:

If I were you ...	Si j'étais vous ...
If companies employed more women ...	Si les entreprises employaient plus de femmes ...

L'anglais a un moyen très simple de montrer que l'on a affaire à ce genre de condition: le verbe qui suit **if** est au passé. Un seul petit détail à noter. Dans le premier exemple, vous pouvez dire soit **was** soit **were. I was there last year** (J'étais là l'année dernière) est un exemple du passé. **If I was/were rich** (Si j'étais riche) n'est pas un vrai passé. C'est un présent ou futur hypothétique. Pour tous les autres verbes, cet état non réalisé est exprimé par le passé: **If you lived in America** (Si vous viviez aux Etats-Unis); **If your parents saw you now** (Si tes parents te voyaient en ce moment).

Dans le reste de la phrase, on trouve le plus souvent **would**:

If I were you, I'd (I would) leave now.
If your parents saw you now, they wouldn't believe it.

Exercice 135

Complétez:
1 **If I (be) rich, I (buy) a car.**
2 **You (not, believe) me if I (tell) you.**
3 **(you, like) it if someone (do) that to you?**
4 **If he (not, be) so lazy, he (be) quite good.**
5 **If you (ask) me, I (help) you.**
6 **More people (come) here if it (not, cost) so much.**

Lorsque l'on veut parler d'un état ou d'une action non réalisé dans le passé, on emploie la forme passée **had -ed** (voir Section 118). **Yesterday, if I'd been you** (Hier, si j'avais été toi); **If your parents had seen you** (Si tes parents t'avaient vu). Dans le reste de la phrase, on trouve alors **would have**:

If I'd been you, I would have refused to pay.
If your parents had seen you, they wouldn't have believed it.

Exercice 136

Complétez:
1 **There (be) a bad accident if I (not, stop).**
2 **What (you, do) if he (say) no?**
3 **If the police (act) more quickly, it (not, happen).**
4 **They (not, enjoy) it if they (pay) less for it.**
5 **If you (ask) me, I (help) you.**
6 **People (not, believe) it if they (see) it.**

CONVERSATION

Philip	**Of course, it's quite an old car.**	Bien sûr, c'est une assez vieille voiture.
Martin	**What did you do to it?**	Qu'est-ce que tu lui as fait?
Philip	**I just adjusted the timing.**	J'ai simplement réglé l'allumage.
Martin	**It's going better. Would it be OK if I took it a bit faster?**	Ça va mieux. Est-ce que je pourrais rouler un peu plus vite?
Philip	**I wouldn't if I were you.**	Si j'étais toi, je ne ferais pas ça.
Martin	**Why not?**	Pourquoi pas?
Philip	**There's usually a police car along this road.**	Il y a souvent une voiture de police le long de cette route.
Martin	**OK. I'll try it later.**	D'accord. J'essaierai plus tard.

137 good, well

Well peut être employé comme adjectif; il signifie alors 'en bonne santé': **How are you?** (Comment allez-vous?); **I'm very well, thank you** (Je vais très bien, merci). Maintenant regardez ces deux exemples:

She looks good.	Elle est jolie.
She looks well.	Elle a l'air en forme.

138 Les sens

see [SI]	voir	**look at** [LUK]	regarder
hear [HIA]	entendre	**listen to** [LISeN]	écouter

If you look at it carefully, you'll see some mistakes.	Si tu y regardes de près, tu verras quelques erreurs.
He can't hear you.	Il ne peut pas t'entendre.
He's not listening to you.	Il ne t'écoute pas.

look	sembler (en regardant)
sound	sembler (en écoutant)
feel [FIL]	(se) sentir
smell [SMEL]	sentir (odeur)
taste [TEIST]	goûter/avoir le goût de

Ces mots sont soit actifs soit passifs: **I can smell cooking** (Je sens des odeurs de cuisine); **It doesn't smell of anything** (Cela ne sent rien); **I'm not feeling well** (Je ne me sens pas bien); **Feel his muscles** (Sens/touche ses muscles). Lorsqu'ils sont passifs, ils sont suivis d'un adjectif, non d'un adverbe:

It looks good and it smells good but it tastes dreadful.	Ça paraît bon et ça sent bon, mais ça a un goût horrible.
That sounds interesting.	Ça semble intéressant.

Exercice 137

Traduisez ces questions et répondez-y en anglais:

1 **What do you do with your eyes?**
2 **What do you do with your ears?** (**ear** – oreille)
3 **What do you do with your nose?** (**nose** – nez)
4 **What do you do with a TV programme?**
5 **What do you do with the radio?**
6 **What do you do with coffee?**

139 have been -ing

I've been waiting since nine o'clock.	J'attends depuis 9h.
She's been living here for years.	Elle habite ici depuis des années.

De même que **have -ed**, cette construction très courante exprime le fait que quelque chose a commencé dans le passé et se prolonge dans le présent. **Have been -ing** met pourtant l'accent sur la longueur de la période de temps.

Exercice 138

Complétez, en employant **have been***:*

1	**(you, wait) long?**	Attendez-vous depuis longtemps?
2	**She (look) for a job for weeks.**	Elle cherche un travail depuis des semaines.
3	**What (you, do) all morning?**	Qu'as-tu fait pendant toute la matinée?
4	**I (not, feel) well recently.**	Je ne me sens pas très bien depuis un certain temps.
5	**The child (not, eat) well.**	L'enfant ne mange pas bien récemment.
6	**We (expect) a phone call from you.**	Nous avons attendu ton coup de téléphone.
7	**My team (lose) a lot of games.**	Mon équipe a perdu beaucoup de matchs récemment.

CONVERSATION

George	**Have you seen any good programmes on TV?**	Tu as vu de bonnes émissions à la télé?
Terry	**No. I haven't been watching TV.**	Non. Je ne regarde pas la télé en ce moment.
George	**Are you feeling all right?**	Tu vas bien?
Terry	**What do you mean?**	Qu'est-ce que tu veux dire?
George	**You're a TV addict.**	Tu es un drogué de la télé.
Terry	**No. I used to be. But not now.**	Non. Avant oui, mais plus maintenant.
George	**What have you been doing instead?**	Qu'est-ce que tu fais à la place?
Terry	**Nothing special.**	Rien de spécial.
George	**That doesn't sound much fun.**	Ça n'a pas l'air très amusant.
Terry	**It's not.**	Non.

140 Noms collectifs

His firm has just lost its best customer. **His firm have just lost their best customer.**	Sa compagnie vient de perdre son meilleur client.

Avec des mots comme **firm, team** (équipe), **company** (société), **government**, vous avez le choix. Si vous considérez qu'ils représentent un groupe de personnes, traitez-les comme des pluriels. **The team have been doing badly** (L'équipe a de mauvais résultats depuis quelque temps); **The government are discussing it** (Le gouvernement en discute). Si vous les considérez comme étant des unités, traitez-les comme des singuliers: **The team has been winning. The government is incompetent.**

141 ought to (devoir)

The government ought to stop it. — Le gouvernment devrait arrêter cela.
[ORT]
He oughtn't to do that. — Il ne devrait pas faire cela.

Dans la plupart des cas ce verbe peut être remplacé par **should** pour exprimer l'obligation. Mais il est bon de signaler le dernier de ces verbes 'anormaux' dont voici la liste complète:

can	**could**
may	**might**
must	**ought to**
shall	**should**
will	**would**

En résumé, aucun de ces verbes n'a de terminaison en **-s, -ing** ou **-ed**: ils ne changent jamais. Aucun d'eux n'a besoin de **do, does** ou **did** dans les questions et les négations; ils viennent en tête de phrase dans les questions: **must you**? et sont suivis de **not** dans les négations: **You must not**. Enfin, ils posent souvent des problèmes de traduction.

Exercice 139

Essayez de traduire, ou du moins de comprendre ces phrases:

1 **Can I help you?**
2 **Could you lend me ten dollars?** (**lend** – prêter)
3 **May I use your phone?**
4 **Someone might see you.**
5 **It must be about lunchtime.**
6 **He ought to work harder.**
7 **Shall we dance?**
8 **He shouldn't smoke so much.** (**smoke** – fumer)
9 **We'll see each other again.** (**we ... each other** – nous nous)
10 **He wouldn't like to be in my position.**

142 The weather (La météo)

rain [REIN]	la pluie	**It'll rain soon.**	Il va bientôt pleuvoir.
snow [SNOU]	la neige	**It snows a lot there.**	Il neige beaucoup là-bas.
sun [SAN]	le soleil	**The sun is shining.**	Le soleil brille.
wind [ouiND]	le vent	**The wind is blowing.**	Le vent souffle.
fog [FOG]	le brouillard	**There'll be fog.**	Il y aura du brouillard.

Tous ces noms peuvent être adjectivés avec la terminaison **-y** (et si nécessaire le doublement de la consonne finale). Ainsi **It's foggy** (Il y a du brouillard), **windy, sunny, snowy** et **rainy**.

Exercice 140

Traduisez et répondez en anglais:

1 **What's the weather like where you live in January?**
2 **What's it like in July?**
3 **Is it the same in November?** **(the same** – la même chose)
4 **When is it windy?**
5 **Do you get enough rain?** **(enough** – assez)
6 **Do you like the snow?** **(like** – aimer)

CONVERSATION

Tim	**John?**	John?
John	**Yes. Speaking.**	Oui. C'est moi.
Tim	**This is Tim here. Listen, I'm coming to your part of the world next week. The company are sending me. Would it be all right if I came and stayed with you?**	C'est Tim à l'appareil. Ecoute, je serai dans ta région la semaine prochaine. La compagnie m'y envoie. Est-ce que je pourrais venir rester chez toi?
John	**Of course. That would be great.**	Bien sûr. Ce serait super.
Tim	**Listen, what should I bring?**	Qu'est-ce que je devrais apporter?
John	**Like what?**	Comme quoi?
Tim	**Clothes and things. I mean, what will the weather be like?**	Comme vêtements et tout ça. Je veux dire, quel temps fera-t-il?
John	**It ought to be good. Of course, you can never tell, but we've been having nice warm weather.**	Il devrait faire assez beau. On ne peut jamais être sûr, naturellement, mais il fait assez chaud et beau depuis quelque temps.

143 wish

I wish I was richer. [OUICH]	Je regrette de ne pas être plus riche.
He wishes he hadn't said it.	Il regrette d'avoir dit cela.

Récemment, nous avons parlé d'hypothèses introduites par **if** (voir Section 136). La non réalisation d'un fait dans le présent ou le futur était exprimée par l'emploi du passé, et celle d'un fait passé par l'emploi de **had -ed**. Cette même règle s'applique dans d'autres cas où hypothèses ou faits non réels apparaissent: 'Je ne suis pas riche et je voudrais l'être', **I am not rich and I wish I were/was;** 'Je n'étais pas là et j'aurais aimé y être', **I was not there, and I wish I had been**. La construction **wish to**, au contraire, exprime un fait réel: **The boss wishes to see you** (Le chef veut te voir). Comparez **I wish to be rich** (Je voudrais être riche) et **I wish I were rich** (Je regrette ne pas être riche/Ah, si j'étais riche!). Cet emploi du passé se rencontre également avec d'autres mots:

time [TAIM]	**It's time we left.**	Il est temps que nous partions.
would rather	**I'd rather you didn't go.**	Je préférerais que tu ne partes pas.
if only [OUNLI]	**If only it hadn't happened.**	Si seulement ce n'était pas arrivé.

Exercice 141

Complétez:

1 **It's time the children (be) in bed.**
2 **If only you (visit) us last week.**
3 **If I (had) the car last week, I could have taken you.**
4 **I wish the weather (be) nicer today.**
5 **I wish the weather (be) nicer yesterday.**
6 **If I (rule) the country, they would be sorry.** (**rule** – diriger)
7 **They'd rather you (pay) cash.** (payer en espèces)
8 **I'd say he was joking, if I (not, know) better.** (**joke** – plaisanter)
9 **I wish I (know) the answer.**

144 at least, etc. (au moins)

She's at least twenty. [AET LIST]	Elle a au moins 20 ans.
He's stupid, but at least he's honest.	Il est bête, mais au moins il est honnête.
He'll lose his licence, at least.	On va au moins lui retirer son permis.

La même construction est utilisée pour d'autres mots:

most	**A hundred dollars at most.**	Au plus cent dollars.

best	**It's a year in prison at best.**	C'est un an en prison, au mieux.
worst	**at worst**	au pire
first	**at first**	d'abord
last	**at last**	enfin

Autrement, on emploie un article: **It'll be Friday at the soonest/latest** (Ce sera vendredi au plus tôt/au plus tard); **at the earliest** (au plus tôt); **It's never above twenty-five degrees, at the hottest** (Il ne fait jamais plus de 25 degrés, c'est la température maximale).

Exercice 142

Traduisez:

1 **He's not very clever, but at least he tries. (clever** – intelligent)
2 **I'll see you on Tuesday at the latest.**
3 **I didn't understand him at first.**
4 **It'll cost you at least a hundred dollars.**
5 **He's not more than eighteen, at most.**
6 **At best, you'll come back cold and tired. (come back** – revenir)
7 **At last it's pay-day.**
8 **I can't do it before Tuesday at the earliest.**

CONVERSATION

Catherine	**I want to post this packet to Australia.**	Je veux envoyer ce paquet en Australie.
Official	**By air or surface mail?**	Par avion ou par voie maritime?
Catherine	**I don't know.**	Je ne sais pas.
Official	**If you sent it surface mail, it would take two months, at least.**	Si vous l'envoyiez par voie maritime, cela prendrait au moins deux mois.
Catherine	**And air mail?**	Et par avion?
Official	**A week or ten days. But it's much more expensive.**	Entre 8 et 10 jours. Mais c'est beaucoup plus cher.
Catherine	**It'll have to be by air. It wouldn't get there in time, otherwise.**	Je devrai l'envoyer par avion. Il n'arriverait pas à temps, autrement.
Official	**You'll have to fill in this form.**	Il vous faut remplir ce formulaire.
Catherine	**Will I?**	Ah bon?
Official	**Yes. It's for the customs. You say what's in the packet, and what the value is.**	Oui. c'est pour la douane. Vous écrivez ce qu'il y a dans le paquet et sa valeur.
Catherine	**I wish I hadn't started this.**	Je regrette de m'être engagée là-dedans.

Leçon 10

145 because, so (parce que, donc)

Why? Because. [BeKOZ] Pourquoi? Parce que.
He stopped because the lights were red. ... parce que le feu était rouge.
Because it was Sunday, it was closed. Parce que c'était dimanche ...

Il n'y a aucune difficulté ici. Mais notez que l'on dit **because of** (à cause de): **The game was cancelled because of the weather** (Le match a été annulé à cause du temps).

Cause et effet peuvent se présenter dans l'ordre inverse, avec **so:**

It was Sunday, so it was closed. ... c'était donc fermé.
The lights were red, so he stopped. ... il s'est donc arrêté.

Exercice 143

Remplissez les blancs par **because, because of** ou **so:**

1 **I left ... I was bored. (leave** – partir)
2 **... her, my whole day was ruined. (whole day** – toute la journée)
3 **She was angry ... I laughed at her. (angry** – en colère; **laugh** – rire)
4 **She looked worried, ... I asked if she was OK. (worry** – inquiéter)
5 **... you're eighteen, you can go into a pub now.**
6 **You're eighteen, ... you can go into a pub now.**

146 whatever, etc. (n'importe)

Dans les mots tels que **whatever** [ouOTEVA] (n'importe quoi), **whenever** [ouENEVA] (n'importe où) **ever** est emphatique: **Stop whatever you're doing** (Arrête ce que tu fais, quel que soit ce que tu fais).

Exercice 144

Traduisez:

1 **Call in whenever you're passing. (call in** – rendre visite)
2 **I'll find you wherever you are. (find** – trouver)
3 **Whatever you do, don't touch that. (touch** – toucher)
4 **Whoever said that was wrong. (be wrong** – avoir tort)
5 **Take whichever you prefer. (take** – prendre)
6 **Buy it, however much it costs. (buy** – acheter)

147 Mouvement

up [AP]	en haut	**down** [DAUN]	en bas
forward [FOROueD]	en avant	**back** [BAEK]	de retour/re-
towards [TEOUORDZ]	vers	**into** [iNTU]	dans
along [eLONG]	le long de	**past**	devant

Remarquez la différence entre **in** et **into**: **in** signifie à l'intérieur, **into** insiste sur le passage de l'extérieur à l'intérieur.

Exercice 145

Complétez:

1	**With skiing, coming ... is faster than going ...**	En ski, il est plus rapide de descendre que de monter.
2	**We were walking ... the street.**	... le long de la rue.
3	**I was going ... the post office.**	J'allais vers la poste.
4	**He went ... the bank without stopping.**	Il est passé devant la banque sans s'arrêter.
5	**The work is going ... quickly.**	Le travail progresse vite.
6	**We walked ... the park.**	Nous nous sommes promenés dans le parc.
7	**We walked ... the park.**	Nous sommes entrés dans le parc.
8	**After an hour, we turned ...**	... nous avons rebroussé chemin.

A propos, il n'y a pas de différence entre **go down/up/along the street**.

CONVERSATION

Martin	**I need a single room for the night.**	Je voudrais une chambre d'une personne pour la nuit.
Reception	**I'm sorry. We're fully booked.**	Désolé. Toutes nos chambres sont réservées.
Martin	**Damn.**	Zut!
Reception	**I think it'll be the same wherever you go.**	Je crois que ce sera la même chose où que vous alliez.
Martin	**Why's that?**	Pourquoi cela?
Reception	**It's because there's a big conference in town, so all the hotels will be full. But you could try down the street, towards the station. There are some small places along there.**	Parce qu'il y a une importante conférence dans cette ville; les hôtels seront donc tous complets. Mais essayez un peu plus loin dans la rue, en direction de la gare. Il y a de petits hôtels par là.
Martin	**I'll try. Thank you.**	Je vais essayer. Merci.
Reception	**You're welcome.**	Je vous en prie.

148 will be -ing

This time next week, you'll be lying on the beach.
I won't be revealing any secrets if I say this.

Tous les verbes peuvent apparaître avec la forme **be** plus **-ing**, qui indique toujours que quelque chose est, était ou sera en train de se passer: 'La semaine prochaine, jeudi à 11h 15, tu seras déjà sur la plage en train de prendre le soleil. ' Les dix verbes anormaux se comportent de la même façon: **I must be going** est une manière très courante de dire 'Je dois m'en aller'.

Exercice 146

Traduisez:

1 **I should be working now.**
2 **You must be joking. (joke** – plaisanter)
3 **They may be enjoying themselves.**
4 **I would be lying if I said yes. (lie** – mentir)
5 **He can't be speaking to us.**
6 **I might be going to Japan, with luck. (luck** – chance)
7 **The train ought to be arriving any minute now.**
8 **You could be taking a risk. (take a risk** – prendre un risque)
9 **I shan't be staying long.**

Shall/shan't (shall not) exprime souvent le temps futur avec **I** et **we**.

149 look

Certaines prépositions se combinent avec des verbes et leur donnent alors un sens tout à fait différent. Prenons **look** par exemple:

for	**I'm looking for a shoe.**	Je cherche une chaussure.
at	**Come and look at this.**	Viens regarder ceci.
round	**We're not buying; just looking round.**	Nous ne voulons pas acheter, nous ne faisons que regarder.
up	**Look the number up in the phone book.**	Cherche le numéro dans le botin.
after	**I'm looking after their dog.**	Je soigne leur chien.
forward to	**Are you looking forward to Friday?**	Attendez-vous vendredi avec impatience?
out	**Look out!**	Faites attention!

Exercice 147

Complétez:

1 **He looked ... me strangely.** Il me regardait bizarrement.

2	**Can you look ... my car while I am away?**	Peux-tu t'occuper de ma voiture pendant mon absence?
3	**It was a new word, so I looked it ... in the dictionary.**	C'était un mot nouveau, alors je l'ai cherché dans le dictionnaire.
4	**If you're driving fast, look ... for police cars.**	Si tu conduis vite, fais attention aux voitures de police.
5	**I'm not looking ... ... next week.**	Je n'attends pas la semaine prochaine avec impatience.
6	**I'm looking ... the keys I lost.**	Je cherche les clefs que j'ai perdues.

150 had better

We'd (We had) better be going now. [WID BETA]	Nous ferions mieux de partir maintenant.
You'd (You had) better be careful.	Tu ferais mieux de faire attention.
I'd better not say anything.	Je ferais mieux de ne rien dire.

C'est une construction assez étrange, mais somme toute assez simple.

Exercice 148

Traduisez:

1 **We'd better stop before it's too late.**
2 **Criminals had better look out.**
3 **Hadn't you better get ready?** **(get ready** – se préparer)
4 **You'd better tell him the truth.**
5 **I'd better book a room.** **(book** – réserver)

CONVERSATION

Christine	**Sorry I'm late.**	Désolée d'être en retard.
Diana	**That's all right. You're not late. It won't be starting for another ten minutes.**	Ça va. Tu n'es pas en retard. Ça ne commence pas avant 10 minutes.
Christine	**I had to do some shopping. I might be going away for the weekend.**	J'ai dû faire quelques courses. Il se pourrait que je parte en weekend.
Diana	**Oh yes?**	Ah bon?
Christine	**I'd better get the tickets.**	Je ferais mieux d'acheter les billets.
Diana	**Leave your bags here. I'll look after them.**	Laisse tes sacs ici. Je vais les garder.
Christine	**OK. I'm really looking forward to this show.**	D'accord. J'ai vraiment envie de voir ce spectacle.
Diana	**Me too.**	Moi aussi.

151 so, neither (aussi, non plus)

I like swimming. So do I. [SOU DU AI]	J'aime nager. Moi aussi.
I'm tired. So am I.	Je suis fatigué. Moi aussi.
I don't smoke. Neither do I. [NAIDHA]	Je ne fume pas. Moi non plus.

C'est une façon très courante de renchérir ou de montrer son approbation à son interlocuteur. Il suffit d'employer **so** suivi des données grammaticales de la phrase précédente dans le même ordre que celui d'une question. Cette construction est en cela comparable à la **question-tag**. Après une phrase négative, vous signifiez votre accord par **neither** ou **nor** [NOR].

Exercice 149

Signifiez votre accord en commençant la phrase avec **so** *ou* **neither***:*

1 **I'll be here tomorrow.** (Je serai ici demain. Moi aussi.)
2 **I liked the story.** (J'ai aimé l'histoire. Moi aussi.)
3 **I can't understand it.** (Je ne peux pas le comprendre. Moi non plus.)
4 **I'm looking for a rich man.** (**look for** – chercher)
5 **I wish it was Friday.**
6 **I shouldn't be here, really.**
7 **I was waiting for that.** (**wait for** – attendre)
8 **I've never been to China.**
9 **I forgot my money.** (**forget** – oublier)
10 **I must be going now.**

152 At the restaurant (Au restaurant)

knife [NAIF]	couteau	**fork**	fourchette
spoon	cuillère	**plate**	assiette
cup	tasse	**glass** [GLARS]	verre
starter	hors d'œuvre	**sweet**	dessert
menu [MENYU]	menu	**bill/check**	addition

En américain, 'addition' se dit **check**, en anglais britannique **bill.** Mais ces deux mots sont compris des Anglais et des Américains.

Exercice 150

Traduisez et répondez en anglais:

1 **What is used for cutting?**
2 **What is on the table at dinner?**
3 **What do you eat ice cream with?** (**ice cream** – glace)
4 **What do you ask for before you eat?**

5 **What do you ask for after you eat?** (**after** – après)
6 **What do you drink coffee from?** (**drink** – boire)
7 **What do you drink wine from?** (**wine** – vin)

153 only (seulement)

She was only three. [OUNLI]	Elle n'avait que trois ans.
Only a Frenchman could say that.	Seul un Français pouvait dire cela.
He only just escaped death.	Il a échappé de justesse à la mort.

La place de **only** dépend du mot sur lequel il porte. A l'oral le mot en question est accentué: **She lent me some money only** (Elle ne m'a prêté que de l'argent); **Only she lent me some money** (Elle fut la seule à me prêter de l'argent); **She only lent me some money** (Elle m'a prêté de l'argent, elle ne me l'a pas donné); **She lent me only some money** (Elle ne m'a prêté qu'un peu d'argent).

Exercice 151

Placez **only** *où il faut:*

1	**There were two people there. (only)**	Il n'y avait que 2 personnes.
2	**It's four dollars. (only)**	Ça ne fait que 4 dollars.
3	**You could do that. (only)**	Personne d'autre que toi ne pourrait faire ça.
4	**It's natural. (only)**	C'est tout à fait naturel.
5	**You have to ask. (only)**	Tu dois simplement demander.
6	**I arrived yesterday. (only)**	Je n'ai fait qu'arriver hier.

CONVERSATION

Edward	**We're going to Spain this year.**	Nous allons en Espagne cette année.
Colin	**Are you? So am I.**	Ah oui? Moi aussi.
Edward	**We went there last year.**	Nous y sommes allés l'été dernier.
Colin	**Did you? So did I.**	Vraiment? Moi aussi.
Edward	**Yes? Where did you go?**	Ah oui? Où cela?
Colin	**To Majorca.**	A Majorque.
Edward	**That's funny. So did we.**	C'est drôle. Nous aussi.
Colin	**Are you going back to the same place?**	Vous retournez au même endroit?
Edward	**Yes. It was very nice.**	Oui, c'était très agréable.
Colin	**Yes, it was. Only ...**	Oui, c'est vrai. Seulement ...
Edward	**Only what?**	Seulement quoi?
Colin	**There were too many foreigners there.**	Il y avait trop d'étrangers.
Edward	**That's what we thought.**	C'est ce que nous pensions.

154 to, -ing

Vous avez sans doute remarqué que certains verbes peuvent être suivis de **to**:

I want to go home. [TE]	Je veux rentrer chez moi.
Ask him to stop.	Demandez-lui de s'arrêter.
He told me to wait.	Il m'a dit d'attendre.
We decided to leave.	Nous avons décidé de partir.
We agreed to meet.	Nous avons convenu de nous retrouver.

Certains verbes peuvent être suivis d'un autre verbe terminé par **-ing**:

Please stop saying that.	Arrête de dire cela s'il te plaît.
I enjoy talking to her.	J'aime bien parler avec elle.
Excuse me interrupting.	Excusez-moi de vous interrompre.
At last he finished speaking.	Enfin il s'arrêta de parler.
You risk damaging it.	Vous risquez de l'endommager.

Les grammaires ne donnent pas d'explication convaincante pour ces constructions. Il semblerait que le meilleur moyen soit de les apprendre par cœur. Pour certains verbes, les deux constructions sont possibles:

He started smoking/to smoke a year ago.	Il a commencé à fumer il y a un an.
She prefers walking/to walk.	Elle préfère marcher.
They continued arguing/to argue.	Ils continuaient à se disputer.
I like listening/to listen to the radio.	J'aime écouter la radio.

On peut toutefois entrevoir une différence ici: **I didn't like to read a private letter, so I didn't** (Je ne voulais pas lire une lettre personnelle, je ne l'ai donc pas lue) et **I had to read it but I don't like reading a private letter** (J'ai dû la lire, mais je n'aime pas lire une lettre personnelle). Généralement, la différence n'est pas évidente. Avec **'d like**, vous devez employer **to**: I'd like to say something (Je voudrais dire quelque chose). Il n'y a ni **-ing** ni **to** après les verbes anormaux **can, will**, etc. Il en va de même pour certains autres verbes:

Let me go.	Laissez-moi partir.
We'd better wait.	Nous ferions mieux d'attendre.
He made me do it.	Il me l'a fait faire.

Les verbes de perception suivent la même règle:

I saw him come/coming.	Je l'ai vu venir.
We watched them go/going.	Nous les regardions partir.
I heard the phone ring/ringing.	J'ai entendu le téléphone sonner.

Si quelqu'un se pose la question de savoir quelle est la différence entre **I heard it ring** et **I heard it ringing**, la réponse est 'presque aucune'; bien que dans le premier cas il se peut que vous entendiez sonner une seule fois et dans le second que vous entendiez sonner de façon continue.

Exercice 152

Complétez:

1 **I don't want (go), but I must.**
2 **They've stopped (sell) tickets.**
3 **She enjoys (go) to the theatre.**
4 **Tell me what you've decided (do).**
5 **I wouldn't like (be) in your position.**
6 **I didn't see him (leave).**
7 **Tell him (hurry up). (hurry up** – se dépêcher)
8 **I'll continue (think) he's wrong.**
9 **They won't let me (work).** (ne me permettent pas)
10 **He asked me (help) him.**
11 **I heard him (go) up the stairs.** (monter l'escalier)
12 **The idea is to make you (drive) slower.**

CONVERSATION

George	**Can you have a look at it?**	Vous pouvez regarder?
Mechanic	**Sure. What's the matter?**	Bien sûr. Qu'est-ce qui se passe?
George	**It makes me want to scream.**	Ça me donne envie de crier.
Mechanic	**Yeah? Why's that?**	Ah? Pourquoi?
George	**It's started giving me all sorts of trouble.**	Ça a commencé à me jouer toutes sortes de tours.
Mechanic	**Like what?**	Quoi par exemple?
George	**It's really difficult to start when it's cold.**	C'est vraiment difficile de démarrer quand il fait froid.
Mechanic	**I heard you come in. The engine sounded all right then.**	Je vous ai entendu arriver. Le moteur faisait un bruit normal.
George	**It's OK when it's been running a bit.**	Ça va quand il a tourné pendant un certain temps.
Mechanic	**It may be a gasket. We'd better let it get cold first, then have a look.**	C'est peut-être un joint de culasse. Il vaut mieux qu'on le laisse refroidir, nous regarderons cela après.

155 will be -ed, can be -ed

It can't be done.	On ne peut pas le faire.
You'd be surprised.	Vous seriez surpris.

Les dix verbes anormaux **can, will**, etc. s'emploient plus souvent en combinaison avec la forme passive qu'en français, et l'on emploie alors **be**.

Exercice 153

Complétez:

1	**You (must, prepare) to work.**	Tu dois être prêt à travailler.
2	**It's ruined. It (can, repair).**	C'est complètement cassé. On ne peut pas le réparer.
3	**The number (may, change) soon.**	Le nombre va peut-être bientôt changer.
4	**If he comes, he (will, make) welcome.**	S'il vient, on le recevra très bien.
5	**The price (should, mark) on it.**	Le prix devrait y être indiqué.
6	**We (would, tell) if it was important.**	Nous serions informés si c'etait important.
7	**He (ought to, arrest).**	On devrait l'arrêter.
8	**You (could, expect) to know.**	Tu ne pouvais pas le savoir.

Même si cela semble un peu maladroit en français, c'est une construction tout à fait naturelle en anglais.

156 as ... as (comme)

The children were as good as gold.	Les enfants ont été extrêmement gentils. (litt.: comme de l'or)

La construction **as ... as** est utilisée pour exprimer les comparaisons, y compris les expressions figées, par exemple: **as cold as marble** (aussi froid que le marbre). Comparez l'emploi de **like** dans ces deux phrases: **The children were like angels** (Les enfants furent de vrais anges); **It was like marble** (C'était comme du marbre).

Exercice 154

Choisissez le mot approprié pour compléter:
night, a tomato, houses, ice, snow

1 **Her hand was as cold as ...**
2 **It was raining, and as dark as ...**
3 **He was wearing a shirt as white as ...** (**shirt** – chemise)
4 **Don't worry. It's as safe as ...** (**worry** – s'inquiéter)
5 **He'd sat in the sun all day, and was as red as ...**

157 few, little (peu)

He has few friends. [FYU]	Il a peu d'amis.
He has little money. [LITL]	Il a peu d'argent.

De même que **much** et **many** (voir Section 70), l'un accompagne un pluriel, l'autre un singulier. Il y a une différence entre **a few** et **few, a little** et **little.**

There are a few Frenchmen here. Il y a quelques Français ici.
There are few Frenchmen here. Il n'y a que peu de Français ici.
They left a little to eat. Ils ont laissé un peu à manger.
They left little to eat. Ils n'ont presque rien laissé à manger.

Exercice 155

Complétez avec **few, little, a few, a little**:

1	**We have ... time.**	Nous avons un peu de temps.
2	**I've been to America ... times.**	Je suis allé plusieurs fois en Amérique.
3	**It's ... enough that I ask.**	Je ne te demande pas grand-chose.
4	**He knows ... or nothing about it.**	Il sait très peu de choses, voire rien à ce propos.
5	**... English people speak good French.**	Peu d'Anglais parlent bien français.
6	**Would you like ... cognac?**	Voudriez-vous un peu de cognac?
7	**There are ... countries where that happens.**	Il y a peu de pays où cela se passe.
8	**It's ... years since I saw him.**	Cela fait quelques années que je ne l'ai pas vu.

CONVERSATION

Reception	**Are you waiting to see the doctor?**	Attendez-vous le docteur?
Marie	**Yes, I am.**	Oui.
Reception	**He won't be long. You'll be called in a few minutes.**	Il ne sera pas long. Vous serez appelée dans quelques minutes.
Marie	**That's what the other girl said.**	C'est ce que l'autre jeune fille m'a dit.
Reception	**You've been here a little while, have you?**	Vous êtes ici depuis un certain temps?
Marie	**Actually, it's over an hour.**	En fait, depuis plus d'une heure.
Reception	**As long as that?**	Si longtemps que cela?
Marie	**Yes. As long as that.**	Oui. Depuis si longtemps que cela.
Reception	**I'll see what can be done.**	Je vais voir ce que je peux faire.

158 take

off	**You can take off your jacket.**	Vous pouvez retirer votre veste.
	The plane took off at ten.	L'avion a décollé à 10h.
up	**He's taken up karate.**	Il a commencé à faire du karaté.
out	**He'll take us out to dinner.**	Il va nous emmener dîner.

Les combinaisons de **take** avec les prépositions ci-dessus peuvent également avoir des sens littéraux: **take your elbows off the table** (enlève tes coudes de la table), **take up** (monter), **take down** (descendre), **take in** (faire entrer), **take out** ((faire) sortir), **take away** (emporter/emmener), **take back** (remporter/ramener).

Exercice 156

Complétez. Souvenez-vous du passé et du participe passé de **take**: **took** *et* **taken**:

1	**He ... smoking when he was ten.**	Il a commencé de fumer à l'âge de 10 ans.
2	**When does your plane ...?**	A quelle heure décolle votre avion?
3	**I must ... the books I borrowed.**	Je dois remporter les livres que j'ai empruntés.
4	**He ... his money and paid for everything.**	Il a sorti son argent et a tout payé.
5	**He was ... for questioning.**	On l'a emmené pour l'interroger.
6	**You haven't ... your jersey.**	Tu n'as pas retiré ton tricot.
7	**I ... what I said about you.**	Je retire ce que j'ai dit sur toi.

159 usually, always, etc.

He's always late.	Il est toujours en retard.
He always talks too much.	Il parle toujours trop.
She'll always be beautiful.	Elle sera toujours belle.

Ces trois exemples illustrent la règle qui gouverne l'ordre des mots dans les phrases où apparaissent 'toujours', 'd'habitude' ou 'jamais': l'adverbe se place après **be**, avant un verbe à la forme simple et après la première partie d'un verbe sous une forme composée. Cet ordre peut cependant changer si l'on veut insister sur un élément de la phrase.

Exercice 157

Placez le mot entre parenthèses au bon endroit:

1 **She was ill. (often)**
2 **I go by car. (usually)**
3 **I have been skiing. (never)**
4 **Look before crossing the road. (always)** ... avant de traverser ...
5 **They can be seen in the city. (seldom** – rarement)

160 keep

Keep smiling. [KIP] — Continue de sourir.
He kept calling me names. [KEPT] — Il n'arrêtait pas de m'insulter.

Un mot très utile, dont le premier sens est 'garder':

Keep quiet. — Tais-toi. (Garde le silence.)
I don't want it; you can keep it. — Je ne le veux pas; tu peux le garder.

Exercice 150

Traduisez:

1 **She kept him talking for hours. (talk** – parler)
2 **Keep to the left. (the left** – la gauche)
3 **He finds it difficult to keep a job for long. (find** – trouver)
4 **I keep forgetting her name. (forget** – oublier)
5 **If he keeps doing that, he'll get into trouble. (trouble** – ennuis)

CONVERSATION

Employee	**Customer relations. Can I help you?**	Ici le service clients. Que puis-je faire pour vous?
de Freitas	**Yes. I've lost a credit card.**	J'ai perdu ma carte de crédit.
Employee	**Right. Let me take down the details. Could I have your name?**	Bon. Je vais noter les détails. Quel est votre nom?
de Freitas	**Joe de Freitas.**	Joe de Freitas.
Employee	**Could you spell that, please?**	Pourriez-vous épeler, s'il vous plaît?
de Freitas	**Small d, e. Next word, capital f, small r, e, i, t, a, s.**	D minuscule, e. Le second mot, f majuscule, r minuscule, e, i, t, a, s.
Employee	**And your initial?**	Et l'initiale de votre prénom?
de Freitas	**J. J for July.**	J. J comme juillet.
Employee	**And the card number?**	Et le numéro de votre carte?
de Freitas	**Two six four double oh one six.**	Deux six quatre zéro zéro un six.
Employee	**How long has it been lost?**	Quand l'avez vous perdue?
de Freitas	**Well, I usually keep it on me. Not more than a day, I think. I'll keep looking for it.**	Eh bien, d'habitude je la garde sur moi. Il y a un jour au plus, je pense. Je vais continuer à la chercher.
Employee	**Let us know if you find it.**	Faites-nous savoir si vous la retrouvez.
de Freitas	**I will.**	Bien sûr.

Leçon 11

161 to

That's easy to say. [IZI Te SEI]	C'est facile à dire.
That's easy for you to say.	Il vous est facile de dire cela.

Exercice 159

Complétez:

1	**It's not (safe, them, cross).**	C'est dangereux pour eux de traverser.
2	**It's (impossible, be) sure.**	Il est impossible d'être sûr.
3	**I'm (pleased, meet) you.**	Heureux de faire votre connaissance.
4	**It's been (difficult, him, contact) you.**	Il lui a été difficile de vous contacter.
5	**It would be (simpler, me, pay).**	... plus simple que je paye.

162 and, but, or, also, too

North and South America [AEND/eN]	et
North but not South America [BAT/BeT]	mais
North or South America [OR]	ou
North America, and also South America [ORLSOU]	et aussi
North America, and South America too [TU]	et aussi

Also se place soit avant soit après le mot sur lequel il porte; **too** se place après: **Me too** (moi aussi). A l'oral, **and** est parfois si abrégé qu'on peut à peine l'entendre. C'est pour cela que l'on voit parfois écrites des phrases telles que **rock 'n' roll** (le rock and roll).

Exercice 160

Complétez avec **and, but, or, too** *ou* **also***:*

1 **We each had a sandwich ... a cup of coffee.** (**each** – chaque)
2 **Would you like tea ... coffee?**
3 **He is both rich ... good-looking.** (**both** – à la fois; **good-looking** – beau)
4 **I'll be free Monday ... Tuesday, ... not both.** (**free** – libre)
5 **He's been to China; he's ... been to Japan.**
6 **He was sacked for being late, and drunk ...** (**sack** – renvoyer)

Notez les différentes façons d'ajouter de nouvelles informations. Pour être tout à fait complets, nous signalerons **as well** [eZ ouEL], qui a le même sens:

both rich and famous	**rich and famous, too**
rich and also famous	**rich and famous as well**

163 make

up	**He's wearing make-up.**	Il est maquillé.
	He's making it up.	Il invente.
	Make up your mind.	Décidez-vous.
up for	**That makes up for it.**	Ceci compense cela.
for	**We're making for Rouen.**	Nous allons vers Rouen.
out	**I can't make out the signature.**	Je ne peux pas déchiffrer la signature.
	Make out a cheque.	Fais un chèque.

Exercice 161

Complétez:

1 **It's not true. You made it ...** (**true** – vrai)
2 **Where are you making ...?** (Où allez-vous?)
3 **She's putting on her make- ...**
4 **We'll have to make ... ... lost time.** (**lost** – perdu)
5 **I can't make ... the price without my glasses.** (sans mes lunettes)
6 **Do you like her? I can't make ... my mind about her.**

CONVERSATION

Mrs Philips	**George, this is Anne. Anne Grant.**	George, je te présente Anne. Anne Grant.
Anne	**Hello.**	Bonjour.
George	**Pleased to meet you.**	Enchanté.
Mrs Philips	**Anne's a newcomer, too.**	Anne est nouvelle ici, elle aussi.
George	**Are you? Where are you from?**	Ah oui? D'où venez-vous?
Anne	**From Australia. But I've been in New York a couple of years.**	D'Australie. Mais j'ai vécu à New York pendant environ deux ans.
George	**Which do you prefer? Here or New York?**	Et quelle ville préférez-vous? Celle-ci ou New York?
Anne	**I haven't been here long enough to say. I only arrived last week.**	Je ne suis pas ici depuis assez long-temps pour le dire. Je suis arrivée la semaine dernière seulement.
George	**I've been here a week as well.**	Je suis ici depuis une semaine également.

164 again, yet, still (encore)

I'm still waiting. [STiL]	J'attends toujours.
I'm not ready yet. [YET]	Je ne suis pas encore prêt.
Do it again. [eGEN]	Refais-le.

Yet peut remplacer **still** après une négation: **She's still not ready/She's not ready yet.**

Exercice 162

Complétez avec **again, yet** *ou* **still**:

1 **I hope to see you ... soon.** (**hope** – espérer)
2 **It hasn't changed. It's ... the same.**
3 **It's not a bad injury. He'll be playing ... in two weeks.** (**injury** – blessure)
4 **She arrived at nine, and she was ... there when I left.** (**leave** – partir)
5 **There's no hurry. We've ... got half an hour.** (**hurry** – urgence)
6 **I must go. I haven't seen it ...**
7 **I didn't understand. Can you say that ...?** (**understand** – comprendre)
8 **Have you finished? No, sorry, not ...**

Employez **Excuse me** pour attirer l'attention de quelqu'un dans un magasin par exemple, ou pour faire déplacer quelqu'un qui gêne votre passage. Employez **Sorry** pour vous excuser ou avant d'annoncer une mauvais nouvelle: **Sorry, we're closed** (Désolé, c'est fermé). Vous entendrez également **Sorry** lorsque quelqu'un n'a pas entendu ou compris quelque chose. Dans ce cas, l'intonation monte, comme dans une question, et cela signifie 'Pourriez-vous répéter?'

165 too (trop)

It was too hot to sleep. [TU] Il faisait trop chaud pour dormir.
It was too hot for me to sleep. Il faisait trop chaud pour que je dorme.

Exercice 163

Complétez:

1 **It's (soon, say).**	Il est trop tôt pour le dire.
2 **You are never (old, learn).**	On n'est jamais trop vieux pour apprendre.
3 **The station is (far, you, walk).**	La gare est trop loin pour que tu y ailles à pied.
4 **The case was (heavy, me, carry).**	La valise était trop lourde pour que je la porte.
5 **It's not (late, you, change) your mind.**	Il n'est pas trop tard pour que tu changes d'avis.

6 **It's (hot, touch).**	C'est trop chaud pour qu'on le touche.
7 **She's (young, understand).**	Elle est trop jeune pour comprendre.

166 either ... or, neither ... nor

He's either drunk or stupid. [AIDHA, OR]	Il est soit ivre soit stupide.
I won't be here either Friday or Saturday.	Je ne serai ici ni vendredi ni samedi.
She has neither family nor friends. [NAIDHA, NOR]	Elle n'a ni famille ni amis.

Exercice 164

Complétez:

1 **I don't understand; ... I'm being stupid ... it's very complicated.**
2 **Would you like tea or coffee? Yes, ..., thanks.**
3 **Would you like tea or coffee? No, ..., thanks.**
4 **Why marry him, when he is ... rich ... good-looking?**
5 **I don't like him. I don't like her ...**
6 **... you win ... you don't.** (win – gagner)
7 **It's not jazz, and it's not rock and roll, ...**

CONVERSATION

Michael	**Hello. Are you here again?**	Salut. Tu es revenu ici?
Alan	**Still.**	Je suis encore ici.
Michael	**I'm sorry?**	Pardon?
Alan	**I'm not here again. I'm still here. I haven't left.**	Je ne suis pas revenu ici. Je suis encore ici. Je ne suis pas parti.
Michael	**Good heavens!**	Mon Dieu!
Alan	**It's too far for me to go home. It's not worth it.**	C'est trop loin pour que je rentre chez moi. Ça n'en vaut pas la peine.
Michael	**It's not worth it for me, either. I went to the library, and read for an hour.**	Pour moi non plus. Je suis allé à la bibliothèque et j'ai lu pendant une heure.
Alan	**That's a good idea. Why didn't I think of that?**	C'est une bonne idée. Pourquoi n'y ai-je pas pensé?
Michael	**You can do it next time.**	Tu peux faire la même chose la prochaine fois.
Alan	**Let's hope there isn't a next time.**	Espérons qu'il n'y aura pas de prochaine fois.

167 so, such (si/tellement)

It was so hot (that) I couldn't sleep. [SOU]	Il faisait si/tellement chaud que je ne pouvais pas dormir.
It was such a long way (that) we took a taxi. [SATCH]	C'était si loin que nous avons pris un taxi.

So modifie un adjectif ou un adverbe, **such** un nom: **so long** (si long), **such a long time** (si longtemps). Notez que **such** se place devant l'article et que vous pouvez omettre **that**.

Exercice 165

Reliez les deux phrases en employant soit **so** *soit* **such***:*

1 **It's been a long time. I've forgotten.** Cela fait si longtemps que j'ai oublié.
2 **The traffic was bad. They missed the train.** Il y avait tellement de circulation qu'ils ont raté le train.
3 **I am hungry. I could eat a horse.** (**horse** – cheval)
4 **It's nice weather. We should go out.**
5 **It happened fast. I couldn't do anything.**
6 **He was shocked. He dropped his glass.** (**shock** – choquer; **drop** – laisser tomber)
7 **He got a shock. He dropped his glass.** (**shock** – choc)

168 mind, matter

It doesn't matter. [MAETA]	Ça ne fait rien.
I don't mind. [MAIND]	Ça m'est égal.

Matter peut aussi être un nom: **What's the matter?** (Que se passe-t-il?); **Nothing's the matter** (Rien).

Exercice 166

Complétez:

1 **John's behaving strangely. What's the ... with him?** (**behave** – se comporter)
2 **We enjoyed ourselves. We didn't ... the bad weather.**
3 **We enjoyed ourselves. The bad weather didn't ... to us.**
4 **If he'd only told me, I wouldn't have ...**
5 **Do you ... if I open the door?**

169 had been -ing

I went to the doctor, because I hadn't been feeling well.	Je suis allé au médecin parce que je ne me sentais pas bien.

He was tired. He'd been playing golf all day.	Il était fatigué. Il avait joué au golf toute la journée.

Il s'agit du passé de **have been -ing** (voir Section 139) qui exprime le fait que quelque chose s'est deroulé pendant une certaine période avant un point précis du passé. **He'd played golf** serait tout à fait correct, mais **he'd been playing** met l'accent sur la longueur de la période de temps.

Exercice 167

Complétez:

1 **I didn't meet my neighbours until I (live) there for over a year.** (**neighbour** – voisin)
2 **It came as no surprise. People (expect) the government to react.** (**react** – réagir)
3 **I'm sorry I was late yesterday. (you, wait) long when I arrived?**
4 **You didn't understand the end because you (not, listen) properly earlier.** (**properly** – comme il faut)

CONVERSATION

Policeman	**Why didn't you report it?**	Pourquoi ne l'avez-vous pas signalé?
George	**It was such a little thing that I didn't think it mattered.**	C'était si peu de chose que je ne pensais pas que cela avait de l'importance.
Policeman	**It does matter. Now, can you tell me what happened?**	C'est important. Maintenant, pouvez-vous me dire ce qui s'est passé?
George	**It was rush hour. Lots of traffic. I'd been driving so slowly for so long that when a space opened in front of me, I didn't accelerate. The car behind me did, and he bumped into me. I didn't mind, because it didn't do any damage. It did some damage to him.**	C'était à l'heure de pointe. Il y avait beaucoup de circulation. J'avais conduit si lentement depuis si longtemps, que lorsqu'une place s'est libérée devant moi, je n'ai pas accéléré. Mais la voiture derrière moi a accéléré et m'est rentrée dedans. Je m'en fichais parce que moi je n'avais pas de dégâts matériels, seulement l'autre conducteur.
Policeman	**You stopped?**	Vous êtes-vous arrêtés?
George	**Yes. We exchanged names and addresses.**	Oui. Nous avons échangé nos noms et adresses.
Policeman	**You realize it is an offence not to report an accident?**	Vous rendez-vous compte que c'est un délit de ne pas signaler un accident?

170 be -ing

La forme en **be -ing – I've been thinking, he was working, they're waiting –** pour laquelle il n'y a pas d'équivalent en français, est très fréquente. Après tout, il est utile de distinguer entre **Do you smoke?** (Fumes-tu habituellement?) et **Are you smoking?** (Fumes-tu en ce moment?). Ou encore **Is it raining much?** (Pleut-il beaucoup en ce moment?) et **Does it rain much?** (Pleut-il beaucoup en général dans ce pays?). Ou bien **You're being stupid** (Tu te conduis stupidement en ce moment) et **You're stupid** (Tu es stupide et tu le resteras). Il existe cependant des contextes où l'anglais ne permet pas d'exprimer qu'un état est temporaire. En anglais, la possession temporaire ou future ne peut être exprimée par **be -ing**. (Au futur, **be -ing** s'emploie uniquement pour exprimer l'intention.)

He has two cars at the moment.	Il a deux voitures en ce moment.
The church owns all this land. [OUNZ]	L'église possède toute cette terre.
I'll have a hundred dollars on pay-day.	J'aurai 100 dollars le jour de la paie.

Have n'est pas toujours un signe de possession. **She's having a bath** (Elle prend un bain); **She's having a baby** (Elle attend un bébé) ne sont pas de toute évidence des exemples de possession. La forme en **-ing** est donc possible ici. L'anglais n'admet pas **be -ing** pour les phrases exprimant ce que l'on aime ou n'aime pas, même temporairement:

I like him now.	Je l'aime bien maintenant.
Do you prefer Mozart to Brahms?	Préfères-tu Mozart à Brahms?
I don't mind.	Cela m'est égal.
He loves his children.	Il aime ses enfants.
I hate hamburgers.	Je déteste les hamburgers.

La même règle s'applique aux phrases exprimant la connaissance ou la compréhension, la pensée et le souvenir:

I think I understand it at the moment.	Je crois que je comprends maintenant.
You'll forget.	Vous oublierez.
I believe him, for the moment.	Je le crois, pour l'instant.
Do you remember his name?	Te souviens-tu de son nom?

Il est possible d'employer **think** ou **remember** pour exprimer non un état mais une activité: **What are you thinking about?** (A quoi penses-tu?); **I was remembering the old days** (Je me souvenais des jours anciens) – ce qui est différent de **I think**. Les exemples de perception purement passive se comportent de la même manière:

Tell me what you see.	Dites-moi ce que vous voyez.
Do you hear that?	Entendez-vous cela?

I don't recognize her.	Je ne la reconnais pas.
Do you notice anything different?	Remarquez-vous quelque chose de différent?
That sounds sensible.	Cela semble sensé.
You don't seem very happy.	Tu ne parais pas très heureux.
You look like an idiot in that hat.	Tu fais idiot avec ce chapeau.

Le see de **I'm seeing the doctor tomorrow** (Je vois le docteur demain) est de toute évidence différent du **see** présenté plus haut. Entre **He's looking well** (Il a l'air en forme) et **You look like an idiot,** la différence de sens de **look** est moins évidente.

Exercice 168

Complétez, en employant soit le présent simple soit **be -ing**:

1	**Where (you, sleep) tonight? Because I (have) a spare bed. My parents (visit) friends this weekend.**	Où dors-tu ce soir? Parce qu'il y a un lit de libre ici. Mes parents vont voir des amis ce weekend.
2	**We (have) lamb for dinner tonight. I (not, like) eating lamb any more. At this time of year, you (see) lots of them. They all seem so happy playing in the fields, but you (know) they (get) fat for the table. It (not, seem) right to eat them. On the other hand, I (begin) to feel hungry.**	Nous avons de l'agneau au dîner ce soir. Je n'aime plus manger l'agneau. A cette époque de l'année, on en voit beaucoup. Ils semblent si contents, ils jouent dans les prés, mais on sait bien qu'on les engraisse pour leur viande. Je ne trouve pas cela bien de les manger. D'un autre côté, je commence à avoir faim.
3	**Your father (watch) TV. I (not, understand) why. They (show) some football and he (hate) the game.**	Ton père regarde la télé. Je ne comprends pas pourquoi. C'est du football et il a horreur de ça.

CONVERSATION

Malcolm	**Do you know what you're doing this weekend?**	Tu sais ce que tu fais ce weekend?
Ray	**I think we're visiting family.**	Je crois que nous allons chez la famille.
Malcolm	**I hate visiting family.**	J'ai horreur d'aller voir la famille.
Ray	**I don't have a choice. Why?**	Je n'ai pas de choix. Pourquoi?
Malcolm	**I'm thinking of organizing a game.**	Je pense organiser un match.
Ray	**That sounds more interesting.**	Ça m'a l'air plus intéressant.

171 by

I'll ring you by Friday. [BAI] — Je te téléphonerai au plus tard vendredi.

He'll be back by four. — Il sera de retour au plus tard à 4h.

Comparez la dernière phrase à **He'll be back at four** (Il reviendra à 4h). **By** signifie 'à précisément ou avant'.

Exercice 169

Complétez avec **by** *ou* **till** *(jusqu'à):*

1 **He works hard. He's at work ... seven in the morning.**
2 **He works hard. He's at work ... seven every evening.**
3 **You'll be an old man ... that time.**
4 **It's closed for lunch. It won't open again ... two.**
5 **Lunch is at one. Try and arrive ... twelve thirty.**
6 **He left an hour ago. He'll be miles away ... now.**

172 at all

I'm not at all surprised. [ET ORL] — Je ne suis pas du tout surpris.
Thanks. Not at all. — Merci. De rien.

At all renforce une négation et se place juste après le mot sur lequel il porte: **No one at all believes me** (Absolument personne ne me croit). **Not at all** s'emploie également comme formule de politesse après **Thank you**.

Exercice 170

Renforcez les négations, en plaçant **at all** *au bon endroit:*

1 **I don't mind.** — Ça m'est absolument égal.
2 **The police did nothing about it.** — La police n'a absolument rien fait.
3 **It wasn't pleasant.** — Ce n'était pas du tout agréable.
4 **Nobody was interested.**
5 **In no time the place was empty.**
6 **I've got no money till pay-day.**

173 anyway, still, otherwise

They're cousins or something. Anyway, they're related. [ENIOUEI] — Ils sont cousins ou quelque chose comme ça. En tout cas, ils sont de la même famille.

The lunch was terrible. Still, it was free. [STiL] — Le déjeuner était horrible. Mais enfin, c'était gratuit.

I must go now. Otherwise I'll miss my bus. [ADHAOUAIZ]	Je dois partir maintenant. Sinon, je vais rater mon autobus.

Still a presque le même sens que **but** (mais).

Exercice 171

Complétez:

1	**I think his name was Jones. I can't remember. ..., he'll ring you.**	Je crois qu'il s'appelait Jones. Je ne me souviens pas. Enfin, il te rappellera.
2	**Take a jersey. ... you'll get cold.**	Prends un pullover. Sinon, tu auras froid.
3	**He's a fool. ..., he's my brother, and I have to help him.**	Il est stupide. Mais enfin, c'est mon frère, et je dois l'aider.
4	**Ring me if you need anything. ..., I'll see you next week.**	Appelle-moi si tu as besoin de quelque chose. De toute façon, je te verrai la semaine prochaine.
5	**It was a long flight. ..., I didn't mind. I was quite comfortable.**	Le vol était long. Mais ça ne m'a pas dérangé. J'étais confortablement installé.

CONVERSATION

James	**I have an appointment to see your husband today, at 11 a.m.**	J'ai un rendez-vous avec votre mari ce matin à 11 heures.
Mrs Keith	**Yes.**	Oui.
James	**My name's Hall. James Hall. Anyway, I can't come today.**	Mon nom est Hall. James Hall. Enfin, je ne peux pas venir aujourd'hui.
Mrs Keith	**I see.**	Je vois.
James	**I'll be away for a few days.**	Je vais partir pour quelques jours.
Mrs Keith	**I'm not sure when he'll be free next week.**	Je ne sais pas exactement quand il sera libre la semaine prochaine.
James	**I'm sorry to bother you.**	Je suis désolé de vous déranger.
Mrs Keith	**It's no trouble at all.**	Ce n'est pas du tout un problème.
James	**Well, perhaps he can ring me. Otherwise, I'll contact him by Thursday, at the latest.**	Peut-être pourrait-il me téléphoner. Sinon, je le contacterai au plus tard jeudi.
Mrs Keith	**I'll give him the message.**	Je lui ferai la commission.
James	**Thank you very much.**	Merci beaucoup.
Mrs Keith	**Not at all.**	Je vous en prie.

174 Prépositions

against [eGENST]	**to fight against poverty**	lutter contre la pauvreté
	Put it against the wall.	Mets-le contre le mur.
between	**between 12 and 2 o'clock**	entre midi et 2 heures
beyond	**It's twelve miles beyond Lille.**	C'est à 12 miles après Lille.
	That's beyond my comprehension.	Cela dépasse mon entendement.
opposite	**He was sitting opposite me.**	Il s'était assis en face de moi.
	She thinks exactly the opposite.	Elle pense tout le contraire.
without	**Coffee without cream.**	Café sans crème.
	He left without saying anything.	Il est parti sans rien dire.

Exercice 172

Complétez avec l'un des mots ci-dessus:

1 **He left his wife ... any money.**
2 **I live ... a garage.**
3 **I live ... a garage and a parking lot.** (**parking lot** – parking)
4 **I don't support that party. I voted ... them.**
5 **He was kicking a football ... the wall.**
6 **It's a short distance ... the roundabout.**

175 had been -ed

He'd already been arrested once.	Il avait déjà été arrêté une fois.
It hadn't been explained to her.	On ne lui avait pas expliqué.
Had you been there before?	Y étais-tu allé auparavant?

Pour être tout à fait complets, nous vous présentons la forme passive de **had -ed**, qui ne réserve, comme vous le voyez, aucune surprise. La forme **had been being -ed** est, elle aussi, théoriquement possible, mais très rare.

Exercice 173

Complétez, en employant **had been***:*

1 **I thought you (tell).**	Je croyais que vous aviez été informé.
2 **He (not, invite).**	On ne l'avait pas invité.
3 **The poor man (murder).**	Le pauvre homme avait été assassiné.
4 **Why (lights, leave) on?**	Pourquoi avait-on laissé les lampes allumées?

5 **I wouldn't mind, if it (repair) properly.**	Cela me serait égal si ça avait été réparé correctement.

176 Réponses courtes

You saw him. I didn't.	Tu l'as vu. Non. Je ne l'ai pas vu.
She'll be there. She won't.	Elle sera là. Non, elle ne sera pas là.
He'd like a cup of tea. He wouldn't.	Il voudrait une tasse de thé. Non, il n'en veut pas.

C'est une façon très courante de corriger ou d'infirmer ce que dit son interlocuteur. Il suffit de garder les données grammaticales de la phrase précédente, comme pour la **question-tag** (voir Section 120).

Exercice 174

Infirmez ou corrigez ces énoncés, en employant des phrases courtes:

1 **He's been waiting since nine o'clock.**
2 **He's sitting outside.** **(outside** – dehors)
3 **There'll be trouble.**
4 **She likes Chinese food.** **(Chinese** – chinois)
5 **She can speak Chinese.**
6 **The day before had been very hot.** **(before** – précédent)
7 **Shakespeare was a famous painter.** **(painter** – peintre)
8 **He painted many famous paintings.** **(painting** – tableau)

CONVERSATION

Chris	**It was great. I would say there were between 50 and 100 people there.**	C'était super. Il devait y avoir entre 50 et 100 personnes.
Annette	**Good.**	C'est bien.
Chris	**And you've never seen so much to eat and drink.**	Et je n'avais jamais vu autant de choses à manger et à boire.
Annette	**Well, I hope you had a great time without me.**	J'espère que tu t'es vraiment bien amusé sans moi.
Chris	**It's not my fault. I thought you'd been invited.**	Ce n'est pas de ma faute. Je croyais que tu avais été invitée.
Annette	**Well, I hadn't. I stayed at home and washed my hair.**	Eh bien, non, je n'avais pas été invitée. Je suis restée à la maison et je me suis lavé les cheveux.
Chris	**You didn't. You went to your brother's.**	Non. Tu es allée chez ton frère.
Annette	**That's just as bad.**	C'etait aussi ennuyeux.
Chris	**Still, you'll be invited the next time.**	Enfin, la prochaine fois, tu seras invitée.

Leçon 12

177 to, in order to, so as to (pour)

I went out (in order) to buy a battery. [eN ORDA TU]	Je suis sorti (pour) acheter une pile.
He came early (so as) to get a good seat.	Il est venu de bonne heure pour avoir une bonne place.
We talked quietly, so as not to wake the baby.	Nous parlions doucement, pour ne pas réveiller le bébé.

Dans les cas ci-dessus, **to** exprime le but. **In order** et **so as** renforcent **to** mais peuvent être omis. Ils sont plus fréquents dans les négations: **so as not to** (pour ne pas). **To** peut exprimer d'autres idées telles que: **I've got nothing to wear** (Je n'ai rien à me mettre), **There's no time to lose** (Il n'y a pas de temps à perdre).

Exercice 175

Exprimez ces énoncés de façon plus concise avec **to***:*

1	**She bought her a drink with the aim of meeting her new boyfriend.**	Elle lui a offert un verre pour rencontrer son nouvel ami.
2	**You go to school. The idea is to learn something.**	On va à l'école pour y apprendre quelque chose.
3	**He didn't do it with the intention of causing trouble.**	Il ne l'a pas fait pour créer des problèmes.
4	**I'm saving, because I have the intention of buying a car.**	Je fais des économies pour acheter une voiture.

178 so that

To suffit à exprimer le but si le sujet est le même dans les deux parties de la phrase. Si le sujet de la deuxième partie de la phrase est différent, employez **so** ou **so that** et **in case** pour introduire une raison:

I'll hide it so (that) your mother doesn't see it. [SOU DHeT]	Je le cacherai pour que ta mère ne le voie pas.
We spoke quietly, so (that) the noise wouldn't wake the baby.	... pour que le bruit ne réveille pas le bébé.
Bring your camera, in case we see some animals. [iN KEIS]	Apporte ton appareil-photo au cas où nous verrions ...

Exercice 176

Traduisez:

1 **Bring it here so we can all have a laugh.** **(have a laugh** – rire)
2 **I changed it so that the boss wouldn't notice.** **(notice** – remarquer)
3 **In case you're wondering, she's my niece.** **(wonder** – se demander)
4 **Open a window, so that we don't suffocate.** **(window** – fenêtre)
5 **The TV's on so that he can watch the news.** **(be on** – être allumé; **news** – informations)
6 **The army are on alert in case there's an emergency.**

179 Formes courtes

Work? I didn't want to.	Je ne voulais pas (travailler).
Today? I don't think so.	Je ne le crois pas.
Will there be trouble? I hope not.	J'espère que non.

To est une façon plus courte de dire **to do/be**, etc.: **I didn't want to (work)**. **So** et **not** représentent une proposition entière.

Exercice 177

Complétez avec **to**, **so** *ou* **it**:

1 **There's one cake here. Would you like ...?** **(cake** – gâteau)
2 **You can look at my photos if you like. Would you like ...?**
3 **It's not a question of wanting ...; you have ...**
4 **She should be out of hospital soon. I hope ...** **(out** – hors)
5 **I saw the movie, and I didn't like ...**
6 **He'll be here tomorrow. At least, I think ...**

CONVERSATION

George	**I'll get an extra bottle of wine.**	Je vais prendre une bouteille de vin en plus.
Annie	**What for?**	Pourquoi?
George	**So that there's enough for Ray and Ellen.**	Pour qu'il y en ait assez pour Ray et Ellen.
Annie	**What makes you think they're coming?**	Qu'est-ce qui te fait croire qu'ils vont venir?
George	**You said so.**	Tu l'as dit.
Annie	**I didn't. I said they might come.**	Non. J'ai dit qu'ils viendraient peut-être.
George	**I'll get one in case.**	Je vais en chercher une au cas où.
Annie	**You don't have to.**	Tu n'es pas obligé.
George	**I know. It's just to be safe.**	Je sais. C'est seulement par précaution.

180 will have, can have

You shouldn't have done that. [CHUDNT eV]	Tu n'aurais pas dû faire cela.
He must have been drunk. [MAST eV]	Il devait être ivre.

Les verbes anormaux n'ont pas de passé. Il faut donc utiliser **have -ed** pour le verbe qui suit: **You shouldn't do it** (Tu ne devrais pas le faire); **You shouldn't have done it** (Tu n'aurais pas dû le faire). Vous avez déjà rencontré cette forme pour le conditionnel passé: **You'd have believed me, wouldn't you?** (Vous m'auriez cru, n'est-ce pas?) (voir fin de la Section 136). Vous pouvez employer la même construction pour le futur antérieur:

I'll have finished soon.	J'aurai bientôt fini.
In July, we'll have been here six years.	Cela fera 6 ans en juillet que nous sommes ici.

Can, must, may et **might**, sous cette forme, expriment différents degrés de probabilité. Supposons qu'il y ait eu un meurtre et que les soupçons portent sur le mari. **Has he done it?** (Est-il coupable?)

He won't have done it. **He can't have done it.**	Ces deux phrases expriment l'idée: 'Je pense que c'est très improbable.'
He may have done it. **He might have done it.** **He could have done it.**	Ces trois phrases expriment un certain doute, aucune possibilité n'est rejetée: 'C'est possible, mais je ne peux pas me prononcer.'
He must have done it. **He will have done it.**	L'idée derrière ces deux phrases est: 'Je serais très surpris si j'apprenais que ce n'était pas lui.'

Must and **can** suivis de **have** n'expriment que l'opinion que l'on a d'une probabilité. Donc, si vous voulez le passé de **must** dans le sens de 'devoir, falloir', tant pis! Il n'y en a pas. Souvenez-vous simplement de **have to**:

The children must be in bed by eight tonight.	Les enfants doivent être au lit à 8h ce soir.
At their age, I always had to be in bed by eight.	A leur âge, je devais toujours être au lit à 8h.

Si vous voulez le passé de **can**, employez **could**: **I could understand it** (Je pouvais le comprendre); **I couldn't speak English then** (Je ne savais pas parler anglais alors).

Il se peut que vous vous demandiez si cela vaut vraiment la peine d'apprendre le fonctionnement de ces verbes bizarres et que vous pensiez 'après tout, je peux exprimer ces notions différemment, avec **possible** ou **probable**, alors pourquoi me creuser la tête?' La décision vous appartient.

Mais tous les anglophones utilisent fréquemment ces verbes, alors il vaudrait mieux que vous ayez une petite idée de leur sens.

Should et **ought to** suivis de **have** servent à exprimer une opinion sur un fait non réalisé. Assez bizarrement, **could** et **might** peuvent exprimer une critique, particulièrement s'ils sont accentués:

You ought to have phoned me.	Vous auriez dû me téléphoner.
He should have been more careful.	Il aurait dû être plus prudent.
You could have told me.	Tu aurais pu me le dire.
He might have said something.	Il aurait pu dire quelque chose.

Enfin, **could** peut aussi exprimer que quelque chose était possible:

You were lucky. You could have been killed.	Tu as eu de la chance. Tu aurais pu être tué.
I couldn't have done that when I was his age.	Je n'aurais pas pu faire cela à son âge.

Exercice 178

Que peuvent vouloir dire ces phrases? Les numéros 2 et 6 sont ambigües:

1 **Brazil may have won the World Cup that year.** (**win** – gagner; **World Cup** – Coupe du Monde)
2 **France could have won the World Cup that year.**
3 **His car's not there. He must have left.** (**leave** – partir)
4 **They'll have finished dinner by eight.**
5 **It was magnificent. You should have seen it.** (**see** – voir)
6 **He might have told me her name.** (**tell** – dire)
7 **You can't have drunk all that.** (**drink** – boire)
8 **He ought to have told his parents.**
9 **You wouldn't have enjoyed it at all.** (**enjoy it** – s'amuser)

CONVERSATION

Marilyn	**Did you phone the repair man?**	As-tu téléphoné au réparateur?
Chris	**No. I've been too busy. Shall I phone when I get back?**	Non. J'ai été très occupé. Veux-tu que je téléphone quand je rentre?
Marilyn	**That'll be too late. He'll have left work by then.**	Ce sera trop tard. Il aura quitté son travail.
Chris	**I should have done it earlier.**	J'aurais dû le faire plus tôt.
Marilyn	**Yes, you should have.**	Oui, tu aurais dû.
Chris	**I would have done it if I'd had the time.**	Je l'aurais fait si j'en avais eu le temps.
Marilyn	**Never mind. Do it tomorrow.**	Ça ne fait rien. Fais-le demain.

181 as if

He drove as if demented. [eZ iF]	Il conduisait comme un fou.
You talk as though you enjoyed it. [eZ DHOU]	Tu en parles comme si ça t'amusait.
He looks as if he's had bad news.	Il a l'air d'avoir appris de mauvaises nouvelles.

A propos, **news** est singulier. Que le s ne vous induise pas en erreur. Ce mot n'a pas de pluriel: **I have two pieces of news** (J'ai deux nouvelles).

As if et **as though** introduisent une manière. Dans certains cas, ils sont suivis d'un passé 'irréel': **You talk as if I were your friend** (Vous me parlez comme si j'étais votre ami – mais je ne le suis pas).

Exercice 179

Traduisez:

1 **It sounds as though he's having trouble.**
2 **She's asked me to help; as if I had the time.**
3 **You talk as though you know something about it.** **(talk** – parler)
4 **It looked as if it was going to rain.** **(rain** – pleuvoir)
5 **He spends money as if there was no tomorrow.** **(spend** – dépenser)

182 Lettres

Alan Parsons (ou **Mr Alan Parsons**, ou **Mr A. Parsons**)
105 Main Street
Boston

Le plus simple est d'écrire le prénom suivi du nom de famille.

Dear Alan (Cher Alain) est relativement familier.
Dear Mr Smith (Cher M. Smith) est plus formel.
Dear Sir/Dear Madam (Cher Monsieur/Chère Madame) est très formel.
Gentlemen (Messieurs) s'utilise au début d'une lettre commerciale américaine.
Darling (Chéri(e)) est à employer par ceux qui ont l'infortune de devoir écrire à leur âme sœur.

Il y a différentes formules de fin de lettre. L'usage britannique (applicable si vous écrivez à quelqu'un au Niger, en Inde ou en Australie) propose les formules suivantes:

Dear Sir, (formel)	**Yours faithfully,**
Dear Mr X, (moins formel)	**Yours sincerely,**
Dear George, (familier)	**Yours,**

S'il s'agit d'un ami de longue date, **Love** ou **Love from** suffisent. L'usage américain (valable si vous écrivez à quelqu'un au Japon ou en Amérique du Sud) préfère des formules telles que: **Sincerely yours**, ou **Very truly yours**, ou **Kindest thoughts**, ou bien encore **Love**.

Exercice 180

Complétez:

(1) ... Pat,
Thank (2) ... for your card. It was nice to hear (3) ... you.
I am writing (4) ... tell you that I will be (5) ... to visit you next month.
I am looking forward to seeing (6) ... again.
(7) ... from
Chris

Chère Pat,
Merci de ta carte. J'étais content d'avoir de tes nouvelles.
Je t'écris pour te dire que je pourrai venir te voir le mois prochain.
Je me réjouis à l'idée de te revoir.

Amitiés,
Chris

CONVERSATION

Charles	**What's wrong? You look as if you'd eaten something bad.**	Qu'est-ce qui ne va pas? On dirait que tu as mangé quelque chose de mauvais.
Martin	**I've just had a letter: 'Dear Martin. Love from Herbert.'**	Je viens juste de recevoir une lettre : 'Cher Martin. Amitiés, Herbert.'
Charles	**Who's Herbert?**	Qui est cet Herbert?
Martin	**Do you want the good news first, or the bad news?**	Tu veux entendre la bonne nouvelle ou la mauvaise nouvelle d'abord?
Charles	**Just tell me.**	Dis-moi.
Martin	**He's coming to stay here. The good news is that he won't be staying long.**	Il va venir ici. La bonne nouvelle, c'est qu'il ne va pas rester longtemps.
Charles	**It sounds as though this Herbert is something of a pain.**	On dirait que cet Herbert est une engeance.
Martin	**You can say that again.**	Tu peux le dire.

183 you, they, one (on)

You have to admire him.	On ne peut que l'admirer.
They say it's excellent.	On dit que c'est excellent.
One does one's best.	On fait de son mieux.

You est fréquemment employé comme un indéfini, bien que cela puisse donner lieu à des quiproquos (Qui ça on? moi?). **They** englobe 'les gens' ou 'les autorités'. **One** n'est pas si courant.

184 En société

Les formules de politesse et de salutation diffèrent dans les pays anglophones, mais on peut vous offrir des conseils, surtout dans les situations plus formelles, où il y a moins de différences.

Lors de salutations, il est préférable d'éviter de répondre à un salut familier (comme **Hi**) par une tournure formelle (comme **Good morning**) ou vice versa. **Hello** passe partout. **Goodbye** signifie à la fois 'au revoir' et 'adieu'. **See you** est un 'au revoir' très familier.

Lors de présentations, on peut simplement dire: **My brother John; My friend Sarah** (Mon frère John; Mon amie Sarah). Vous pouvez employer **This is** (Voici): **This is my brother John**. Au travail ou à l'université la plupart des Britanniques et des Américains du Nord annonçent le prénom en premier: **This is John, John Smith, our sales manager** (Voici John Smith, notre directeur commercial); vous répondez alors **Hello John**, peut-être suivi d'un **I'm glad to meet you** (Je suis content de faire votre connaissance), que vous soyez **glad** ou non. **Mr Smith** [MISTA] (M. Smith) est plus formel. Certaines circonstances dictent le ton plus formel, mais elles sont difficilement prévisibles. Même dans un club de tennis, si quelqu'un se présente ainsi: **My name's Smith** (Je m'appelle Smith) vous devez l'appeler **Mr Smith**. Il y a trois équivalents pour des femmes: **Mrs** [MISIZ], **Miss** [MIS] et **Ms. Mrs** correspond à 'Mme', **Miss** à 'Mlle'. Le mouvement féministe s'oppose à cette distinction et a formé **Ms** en prenant les lettres communes aux deux autres titres. Une femme qui fait précéder son nom de **Ms** s'attend à ce qu'on s'adresse à elle en écrivant **Ms**. En fait, en Grande Bretagne et aux Etats-Unis, il est plus sûr d'écrire **Ms**. A l'oral cependant, son emploi est plus délicat. Vous l'entendrez dire [MIZ] ou [MEZ] mais cela peut être facilement interprété comme une prise de position politique. Utilisez donc prénom et nom, si vous les connaissez, pour une présentation: **This is Mary Smith.** C'est plus sûr.

Si vous vous adressez à une femme que vous ne connaissez pas, **Madam** (Madame) ou **Miss** (Mademoiselle) suffiront pour être poli. Si vous avez affaire à un enfant, **young man** ou **young lady** (jeune dame) seront parfaits. Dans un magasin ou un hôtel, le client est appelé **Sir** (Monsieur), mais il n'y a pas vraiment d'équivalent anglais de 'Monsieur' ou de 'Madame'. Si vous croisez une personne dans les escaliers et que vous voulez dire 'Bonjour M'sieur', vous ne pouvez pas. **Mister** est malpoli. **Good morning sir** implique 'Vous êtes mon supérieur', ce qui pourrait bien le surprendre. Contentez-vous de dire **G'morning** ou **Hi there** et de sourire. Si vous voulez appeler quelqu'un, essayez **Excuse me** (Pardon) ou des bruits de gorge. Neuf fois sur dix, la personne ne se rend pas compte que vous vous adressez à elle, et les Anglais présents n'ont plus qu'à hausser les épaules. Bien sûr, il peut vous arriver de vouloir être impoli, auquel cas vous direz **Hey you** [HEI] (Eh, toi). **You** ou même **fishface** (litt.: visage de poisson) feront l'affaire.

Vous pouvez vous adresser à ces personnes par le nom de leur profession: **waiter** (garçon), **barman** (garçon dans un bar), **doctor** (docteur), **nurse** (infirmière), **driver** (chauffeur), **guard** (garde). Toute personne en uniforme (policier, douanier, etc.) devrait répondre au nom de **officer**.

Exercice 181

Que dites-vous dans ces situations?

1 Un copain dit **'This is my boss, George Smith.'**
2 Une femme est en train de sortir en oubliant son parapluie.
3 Quelqu'un dit **'Goodbye'**.
4 Vous avez besoin d'un garçon.
5 Vous voulez présenter une cliente appelée Sarah Bell à votre chef.
6 Vous voulez vous adresser à un policier.
7 Un voisin vous dit **'G'd evening'** ('B'n soir').

CONVERSATION

Susan	**Hi there, Phil. How's life?**	Salut, Phil. Comment ça va?
Philip	**Oh, Sue, I'm glad you're here. I'd like you to meet a friend of mine. Susan, this is Anne.**	Ah Sue. Je suis content que tu sois ici. Je voudrais que tu fasses la connaissance d'une de mes amies. Susan, voici Anne.
Susan	**Hi, Anne. It's nice to meet you. I've heard a lot about you.**	Salut, Anne. Contente de te rencontrer. J'ai beaucoup entendu parler de toi.
Anne	**Nothing bad, I hope.**	Pas en mal, j'espère.
Susan	**No, nothing bad.**	Non.
Philip	**Shall I get something to drink?**	Je commande quelque chose à boire?
Susan	**If you can.**	Si tu peux.
Anne	**Yes, you can never get a waiter here. The service is terribly slow.**	C'est vrai, on ne peut jamais avoir un garçon ici. Le service est désespérément lent.
Philip	**I'll try. Excuse me, waiter!**	Je vais essayer. Excusez-moi, garçon!

185 De retour en société

L'équivalent anglais de '(à votre) santé' est **Cheers** et l'on répond de la même façon. (En anglais britannique, ce mot est parfois employé pour dire 'Merci' et 'Au revoir'.) Il n'y a aucune expression traduisant 'Bon appétit'. La plupart des anglophones comprennent la formule française. Dite par un francophone, celle-ci semble normale. Mais les anglophones ne l'emploient généralement pas, de peur de paraître affectés (ou de peur de se tromper). Ils préfèrent ne rien dire et se contenter de manger. Certains Californiens disent **Enjoy** (apprécier).

Congratulations traduit 'Félicitations'. **Bad luck** (pas de chance) traduit exactement le contraire: **I passed my test** (J'ai réussi mon examen) – **Congratulations; I failed my test** (J'ai raté mon examen) – **Bad luck**. S'il s'agit d'un sujet plus important, vous pouvez dire **I'm sorry to hear that** (J'en suis desolé). La réponse à ces formules est **Thanks** (Merci).

Pour exprimer le regret, **I'm afraid (that)** (littéralement: J'ai peur que) est très courant: **I'm afraid he's out** (Désolé, il est sorti). Cette formule n'exprime pas des regrets aussi profonds que ne le laissent supposer les mots. **'Fraid not** (Non, désolé) remplace dans le langage courant un simple **No. Can you help me? No** serait très sec, **'Fraid not** atténue le refus.

Happy est en tête de bien des formules de souhaits: **Happy Christmas** (Joyeux Noël), **Happy birthday** (Bon anniversaire), **Happy anniversary** (Heureux anniversaire de mariage), etc.

Exercice 182

Que dites-vous dans ces situations?

1 Un ami vous dit **'I'm getting married'** (Je me marie).
2 Vous voyez un ami le 24 décembre.
3 Quelqu'un téléphone et demande à parler à votre ami, qui est absent.
4 Le dîner va commencer.
5 Un ami lève son verre et dit **'Cheers'**.
6 Un ami vous dit **'I've lost my job'** (J'ai perdu mon emploi).

186 need

He needs a wife. [NIDZ]	Il a besoin d'une femme.
He doesn't need to pay. **He needn't pay.**	Il n'a pas besoin/Il n'est pas obligé de payer.

Lorsqu'il est suivi d'un object direct, comme dans le premier exemple, **need** se comporte comme un verbe normal: **he needs**, au passé **I needed**, etc. Lorsqu'il est suivi d'un verbe, comme dans le second et le troisième exemples, son comportement est un peu étrange. Dans les tournures négatives et interrogatives, vous pouvez le traiter comme l'un de ces verbes spéciaux comme **will** ou **can: Need you ask?** (As-tu besoin de demander?) ou comme un verbe normal: **Do you need to ask?** Le sens reste le même. (Notez qu'il faut employer **to** lorsque **need** fonctionne comme un verbe normal.) De même au passé dans les questions et les négations, vous pouvez dire **You didn't need to give her flowers** (Tu n'avais pas besoin de lui offrir des fleurs) ou **You needn't have given her flowers** (comparez **shouldn't have). Need** est donc parfois inclus dans la liste des verbes spéciaux. Pour être tout à fait complets, nous devons signaler le verbe **dare** (oser) qui se comporte ainsi: **I daren't tell her** (je n'ose pas lui dire) et **I don't dare to tell her**. Là encore, le sens ne change pas. La liste des verbes spéciaux peut donc contenir jusqu'à douze éléments.

Exercice 183

Traduisez:

1 **How dare he say that?**
2 **The car needs a new engine.**
3 **It was perfectly safe. You needn't have worried.** (**worry** – se faire du souci)
4 **I dare say he knows what he's doing.**
5 **Do you need to make that terrible noise?** (**noise** – bruit)
6 **All he needs is a good night's rest.** (**rest** – repos)
7 **You needn't explain; he knows how to do it.** (**explain** – expliquer)

CONVERSATION

Carol	**They'll sing 'Happy Birthday' to old Mrs Hill, and say 'Congratulations' to the person with the biggest flower display. It'll be deadly boring.**	Ils vont chanter 'Joyeux Anniversaire' pour la vieille Mme Hill et féliciter la personne qui aura fait le plus gros bouquet de fleurs. Ça va être mortellement ennuyeux.
Sally	**I dare say.**	Tout à fait vrai.
Carol	**Do we have to go?**	Devons-nous y aller?
Sally	**I'm afraid so.**	J'ai bien peur que oui.
Carol	**Can't we miss it?**	Ne peut-on pas s'abstenir d'y aller?
Sally	**'Fraid not.**	J'ai peur que non.
Carol	**You needn't sound so pleased with yourself.**	Tu n'as pas besoin de prendre un air si réjoui.
Sally	**Pleased? Who's pleased?**	Réjoui? Qui est réjoui?
Carol	**You just want to pay me back.**	Tu veux simplement me rendre la monnaie de ma pièce.

187 one, some

I haven't got a pen. Have you got one?	Je n'ai pas de stylo. Tu en as un?
I've made coffee. Would you like some?	J'ai fait du café. Tu en veux?
You can't have sugar. There isn't any.	Tu ne peux pas avoir de sucre. Il n'y en a pas.

Any remplace souvent **some** dans les négations et les questions.

Exercice 184

Complétez avec **one, some** *ou* **any**:

1 **He had no money, so his parents sent him ...**
2 **I'm not sure if you can phone. I don't think they have ...**
3 **The dog shouldn't eat sweets. Please don't give him ...** (**sweets** – bonbons)
4 **A hamburger? Yes, I wouldn't mind ...**
5 **My English is not good, but I can speak ...**

188 though, although

I like him although he's my boss [eLDHOU] **I like him (even) though he's my boss** [IVeN DHOU]	Je l'aime bien, bien qu'il soit mon chef.

Ici, pas de problèmes, pas de verbes bizarres. **Though, although** et **even though** signifient la même chose et s'emploient de la même façon. Ils peuvent se placer en tête de phrase: **Though he's my boss, I like him.**

You can't be sure, however much you pay. [HAUEVA]	Tu ne peux pas être sûr, quel que soit le prix que tu paies.

Cette construction exprime la même idée que **even though you pay a lot** (bien que tu paies cher). Si vous voulez insister sur cette idée, utilisez **may: However much you may pay; Although you may pay a lot.**

Exercice 185

Récrivez ces phrases en employant **although, however**, *etc.*:

1	**He can still ski. He's not as good as he used to be.**	Il sait encore skier, bien qu'il ne soit plus aussi bon qu'avant.
2	**He was a rich man then. He didn't forget his friends.**	Bien qu'il fût riche alors, il n'oubliait pas ses amis.

3 **I'll try to help. I don't know much about it.**	... bien que je n'y connaisse pas grand-chose.
4 **She was really quite badly hurt. It was only a small accident.**	
5 **I try hard. I can't understand it.**	
6 **It still works well. It may be old.**	

189 Le verbe anglais

Les différentes formes du verbe anglais posent des problèmes à certains apprenants, aussi est-il utile de faire un résumé:

PRESENT		PAST	
I work	**I have worked**	**I worked**	**I had worked**
I am working	**I have been working**	**I was working**	**I had been working**

En lisant de gauche à droite, on rencontre d'abord un présent, puis un temps exprimant le fait que quelque chose a débuté dans le passé mais n'est pas encore terminé, puis un passé complètement révolu et enfin un passé dans le passé (Il l'avait déjà fait). Ces quatre temps expriment le déroulement d'une action mais ne donnent aucun renseignement sur sa durée ni sur sa possible simultanéité avec une autre action. Les formes simples du présent et du passé ont besoin de **do, does** et **did** dans les questions et les négations. Vous pouvez vérifier tous ces détails: le présent dans la Section 9, la forme en **have -ed** dans la Section 79, le passé dans la Section 45 et **had -ed** dans la Section 118.

Sur la seconde ligne chaque forme est en **be -ing**, ce qui insiste sur le déroulement de l'action plutôt que sur l'action même. Référez-vous aux Sections 28, 139, 110 et 169 si vous voulez réviser leur fonctionnement. Bien entendu, le passif se conjugue à tous ces temps.

Si vous avez besoin d'un futur, d'un conditionnel ou d'un autre temps, vous le construisez en employant l'un des verbes spéciaux tels que **will** ou **would**. Le schéma de la phrase reste le même:

I X work.	**I X have worked.**
I X be working.	**I X have been working.**

X représente **will, can, would** ou l'un quelconque des verbes spéciaux. Vous avez le choix du présent simple et du passé simple pour indiquer une action, tandis que la forme en **be -ing**, au présent ou au passé, attire l'attention sur le déroulement de l'action.

En fait, l'anglais n'est pas difficile, n'est-ce pas?

Lectures

La littérature anglaise est l'un des joyaux de la civilisation européenne. Les passages que nous avons sélectionnés pour votre lecture sont tous d'une excellente qualité. Vous vous apercevrez que vous êtes tout à fait capable de comprendre des sections entières de ces extraits. Pour mieux apprécier le style des maîtres de la langue anglaise, efforcez-vous de les comprendre sans avoir trop souvent recours aux traductions.

Monsignor Quixote

Nous devons ce premier texte à un talentueux écrivain contemporain. Il s'agit des premières lignes du roman *Monsignor Quixote*, de Graham Greene.

It happened this way. Father Quixote had ordered his solitary lunch from his housekeeper and set off to buy wine at a local co-operative eight kilometres away from El Toboso on the main road to Valencia. It was a day when the heat stood and quivered on the dry fields, and there was no air conditioning in his little Seat 600 which he had bought, already second hand, eight years before. As he drove, he thought sadly of the day when he would have to find a new car. A dog's years can be multiplied by seven to equal a man's, and by that calculation his car would still be in early middle age, but he noticed how already his parishioners began to regard his Seat as almost senile. 'You can't trust it, Don Quixote,' they would warn him and he could only reply, 'It has been with me through many bad days, and I pray God that it may survive me.' So many of his prayers had remained unanswered that he had hopes that this one prayer of his had lodged all the time like wax in the Eternal ear.

He could see where the main road lay by reason of the small dust puffs raised by passing cars. As he drove he worried about the fate of the Seat which he called in memory of his ancestor 'my Rocinante'. He couldn't bear the thought of his little car rusting on a scrap heap. He had sometimes thought of buying a small plot of land and leaving it as an inheritance to one of his parishioners on condition that a sheltered corner be reserved for his car to rest in ... Thinking of all this for the hundredth time he nearly ran into a stationary black Mercedes which was parked round the corner on the main road. He assumed that the dark-clothed figure at the wheel was taking a rest on the long drive from Valencia to Madrid, and he went on to buy his jar of wine at the collective without pausing; it was only as he returned that he became aware of a white Roman collar, like a handkerchief signalling distress. How on earth, he wondered, could one of his brother priests afford a Mercedes? But when he drew up he noticed a purple bib below the collar which denoted at least a monsignor, if not a bishop.

Father Quixote had reason to be afraid of bishops; he was well aware how much his own bishop, who regarded him in spite of his distinguished ancestry as little better than a peasant, disliked him. 'How can he be descended from a fictional character?' he had demanded in a private conversation which had promptly been reported to Father Quixote.

The man to whom the bishop had spoken asked with surprise, 'A *fictional* character?'

'A character in a novel by an overrated writer called Cervantes – a novel moreover with many disgusting passages which in the days of the Generalissimo would not even have passed the censor.'

'But, Your Excellency, you can see the house of Dulcinea in El Toboso. There it is marked on a plaque; the house of Dulcinea.'

'A trap for tourists. Why,' the bishop went on with asperity, 'Quixote is not even a Spanish patronymic. Cervantes himself says the surname was probably Quixada or Quesada or even Quexana, and on his deathbed Quixote calls himself Quixano.'

'I can see that you have read the book then, Your Excellency.'

'I have never got beyond the first chapter. Although of course I have glanced at the last. My usual habit with novels.'

(Graham Greene, *Monsignor Quixote*, first published by The Bodley Head, 1982).

Monsignor Quichotte (traduction)

Ça s'est passé comme ça. Le père Quichotte avait commandé son déjeuner solitaire à sa gouvernante et s'étais mis en route afin de se procurer du vin à une coopérative locale, à huit kilomètres d'El Toboso, sur la route de Valence. C'était un jour de chaleur immobile où l'air tremblait au-dessus des champs secs, et sa petite Seat 600, achetée d'occasion huit ans auparavant, ne possédait pas de climatiseur. Tout en conduisant, il songeait avec tristesse au jour où il lui faudrait changer de voiture. L'homme vit sept fois plus longtemps qu'un chien: à ce compte, sa voiture n'était pas entrée depuis trop longtemps dans l'âge mûr, mais il avait remarqué que ses paroissiens jugeaient déjà la petite Seat presque sénile. Ils lui prodiguaient des avertissements. 'Impossible de s'y fier, don Quichotte', et il ne pouvait que répondre: 'Nous avons traversé ensemble bien des mauvais jours, et je prie le Seigneur qu'elle me survive.' Tant de ses prières étaient demeurées sans réponse qu'il nourrissait quelque espoir que celle-ci fût demeurée logée tout ce temps, tel un bouchon de cérumen, dans l'Oreille éternelle.

Il pouvait deviner la grand-route aux petits nuages de poussière que les voitures soulevaient au passage. Tout en conduisant, il s'inquiétait du sort de sa Seat, qu'il nommait, en souvenir de son ancêtre, 'ma Rossinante'. Il ne pouvait souffrir l'idée de la voir finir à la ferraille. Il avait parfois songé à acheter un bout de terrain qu'il laisserait en héritage à l'un de ses paroissiens, à condition qu'un coin abrité fût réservé pour le repos de son véhicule ... Il ruminait ces pensées pour la centième fois lorsqu'il faillit emboutir une Mercedes noire arrêtée à l'angle de la grand-route. Il supposa que la silhouette vêtue de sombre, derrière le volant, s'accordait un peu de repos avant de reprendre le long trajet de Valence à Madrid, et il continua sans s'arrêter jusqu'à la coopérative afin d'acheter sa bonbonne de vin. C'est seulement au retour qu'il distingua le col romain blanc, tel un mouchoir agité en signal de détresse. Comment l'un de ses collègues avait-il pu s'offrir le luxe d'une Mercedes? Ce n'est qu'en s'arrêtant qu'il remarqua le rabat violet qui annonçait au moins un *monsignor*, peut-être un évêque.

Le père Quichotte avait quelque raison de craindre les évêques; il n'ignorait pas que celui de son diocèse le détestait et, malgré son illustre ascendance, le considérait à peu près comme un vulgaire paysan. 'Comment pourrait-il être descendu d'un personnage imaginaire?' avait-il un jour demandé, lors d'un entretien privé qu'on s'empressa de rapporter au père Quichotte.

L'interlocuteur de l'évêque s'était étonné.

'Un personnage *imaginaire*?

– Le héros d'un roman dû à un écrivain surestimé, nommé Cervantes – un roman qui, de plus, comporte de nombreux passages répugnants que le censeur, du temps du *generalissimo*, n'aurait jamais admis.

– Mais, Votre Excellence, on peut voir la maison de Dulcinée à El Toboso. C'est écrit là, sur une plaque: maison de Dulcinée.

– Piège pour les touristes. Rendez-vous compte, poursuivit sèchement l'évêque, Quichotte n'est même pas un nom espagnol. Cervantes lui-même dit que son nom était probablement Quixada ou Quesada, voire Quexana, et sur son lit de mort Quichotte se donne le nom de Quixano.

– Je constate que Votre Excellence a lu l'ouvrage.

– Je n'ai jamais dépassé le premier chapitre. Bien que j'aie naturellement jeté un coup d'œil sur le dernier, ce qui est ma manière habituelle avec les romans.'

(Traduction de Robert Louit, Editions Robert Laffont)

Tristram Shandy

Dans les années 1760, Laurence Sterne écrivait des romans humoristiques aussi expérimentaux et modernes qu'aucun autre publié au 20me siècle, et ils sont devenus des classiques. Voici, pour vous allécher, un extrait où le père de Tristram Shandy enfant et son oncle parlent de la mort. La mère les entend.

My mother was going very gingerly in the dark along the passage which led to the parlour, as my uncle Toby pronounced the word 'wife' – It is a shrill, penetrating sound of itself, and they had helped it by leaving the door a little ajar, so that my mother heard enough of it, to imagine herself the subject of the conversation; so laying the edge of her finger across her two lips, holding in her breath, and bending her head a little downwards, with a twist in her neck – (not towards the door, but from it, by which means her ear was brought to the chink) – she listened with all her powers ...

Tell me, Madam, in what street does the lady live, who would not have done the same?

From the strange mode of Cornelius's death, my father had made a transition to that of Socrates, and was giving my uncle Toby an abstract of his pleading before his judges. It was irresistible – not the oration of Socrates, but my father's temptation to it – he had written the Life of Socrates himself the year before he left off trade ... 'That we and our children were born to die, but neither of us born to be slaves.' No. There I mistake. That was part of Eleazar's oration. Eleazar owns he had it from the philosophers of India. In all likelihood Alexander the Great, in his irruption into India, after he had overrun Persia, amongst the many things he stole, stole that sentiment also; by which means it was carried, if not all the way by himself (for we all know he died at Babylon) at least by some of his marauders, into Greece. From Greece it got to Rome; from Rome to France; and from France to England. So things come round.

By land carriage I can conceive no other way.

By water the sentiment might easily have come down the Ganges into the Sinus Gangeticus or Bay of Bengal, and so into the Indian Sea; and following the course of trade, might be carried with other drugs and spices up the Red Sea to Jeddah. Bless me! What a trade was driven by the learned in those days!

Now my father had a way, a little like that of Job's (in case there ever was such a man – if not, there's an end of the matter.

Though, by the bye, because your learned men find some difficulty in fixing the precise era in which so great a man lived – whether before or after the patriarchs, etc. – to vote, therefore, that he had never lived *at all*, is a little cruel) – My father, I say, had a way, when things went extremely wrong with him, of wondering why he was alive; wishing himself dead; sometimes worse. And when the provocation ran high – Sir, you scarce could have distinguished him from Socrates himself. He plunged into that part of the pleading where the great philosopher reckons up his connections, his alliances, and children. 'I have friends – I have relations – I have three desolate children,' says Socrates.

'Then,' cried my mother, opening the door, 'you have one more, Mr Shandy, than I know of.'

'They are Socrates's children,' said my uncle Toby.

'He has been dead a hundred years,' replied my mother.

My uncle Toby was no chronologer, so not caring to advance on unsafe ground, he laid down his pipe deliberately upon the table.

(Laurence Sterne, *The Life and Opinions of Tristram Shandy*)

Tristram Shandy (traduction)

A l'instant où mon oncle Toby prononçait le mot 'femme' ma mère avançait très prudemment dans l'obscurité du couloir qui menait au salon. Le mot, déjà distinctement prononcé, lui parvint d'autant mieux qu'ils avaient négligé de fermer complètement la porte: elle put donc se croire le sujet de la conversation. Retenant son souffle, donc, et un doigt posé sur les lèvres, la tête penchée avec une gracieuse torsion du col (qui plaçait juste son oreille à portée de la fente) elle écouta passionnément ...

Et je vous prie, madame, dans quelle rue demeure celle qui n'en eût pas fait autant?

De l'étrange mort de Cornelius mon père était passé à celle de Socrate et donnait à mon oncle Toby un aperçu de son plaidoyer devant les juges. Ce plaidoyer était irrésistible: entendez que mon père ne pouvait résister à la tentation de le rapporter. Lui-même avait écrit une Vie de Socrate juste avant de quitter les affaires ... 'Nous et nos enfants sommes nés pour mourir mais nul n'est né pour être esclave. ' Non, je fais erreur. Cette phrase était extraite du discours d'Eleazar, lequel Eleazar l'avait, de son propre aveu, empruntée aux philosophes de l'Inde. Selon toute probabilité Alexandre le Grand, lorsqu'il pénétra dans les Indes après avoir vaincu les Perses, leur vola ce sentiment entre autres multiples larcins. Elle fut ainsi transportée en Grèce sinon par Alexandre lui-même (nous savons tous qu'il mourut à Babylone) du moins par quelqu'un de ses compagnons maraudeurs; de la Grèce elle gagna Rome, puis la France, puis l'Angleterre. Ainsi tourne le monde.

Par terre je n'imagine pas d'autre voie.

Par eau, pareil sentiment eût aisément pu descendre le Gange, déboucher dans le Sinus Gangeticus ou Golfe de Bengale, traverser l'océan Indien et, suivant la route du commerce et remontant la mer Rouge pêle-mêle avec la drogue et les épices, gagner Djeddah. Dieu! Quel commerce devaient entreprendre les savants de cette époque!

Or mon père avait quelque chose de Job (en admettant que Job ait jamais existé: sinon, la discussion est close.

J'ajouterai pourtant que nos savants seraient un peu cruels s'ils le rayaient simplement de l'existence sous le prétexte qu'ils ne peuvent fixer avec précision le siècle où vécut ce grand homme, par exemple avant les patriarches ou après, etc.) – Mon père, donc, quand les choses allaient mal pour lui, demandait aussitôt au ciel pourquoi il était né; que ne suis-je mort! clamait-il. Il allait plus loin encore. Et quand il se sentait plus particulièrement visé, on eût dit, monsieur, Socrate lui-même. Il plongea subitement dans cette partie du discours où le grand philosophe fait état de ses parents, de ses alliances et de ses enfants: 'J'ai des amis, dit Socrate, des parents, trois enfants malheureux. '

– Un de plus que mon compte, Mr Shandy, s'écria ma mère en poussant la porte.

– Ce sont les enfants de Socrate, dit mon oncle Toby.

– Voilà cent ans qu'il est mort, répliqua ma mère.

Mon oncle Toby n'etait pas versé en chronologie. Peu soucieux, donc, de s'avancer en terrain mal assuré, il posa sa pipe avec décision sur la table.

(Traduction de Charles Mauron, Editions Robert Laffont)

Nostromo

Joseph Conrad, Polonais, alla en France alors qu'il était encore un jeune homme, puis s'embarqua sur un bateau anglais pour y travailler. Il dut apprendre l'anglais et plus tard, il commença à écrire des histoires d'aventures, dont le cadre était les lieux exotiques qu'il avait découverts lors de ses pérégrinations de marin. Comme beaucoup d'autres n'écrivant pas dans leur langue maternelle, il maîtrise parfaitement l'anglais. La profondeur de ses histoires et la formidable puissance de son style classent Conrad parmi les plus grands romanciers. Voici un extrait de son excellent roman, *Nostromo.*

The main attack on the railway yards, on the O.S.N. offices, and especially on the Customs House, whose strong room, it was well known, contained a large treasure in silver ingots, failed completely. Even the little hotel kept by old Giorgio, standing alone halfway between the harbour and the town, escaped looting and destruction, not by a miracle, but because with the safes in view they had neglected it at first, and afterwards found no leisure to stop. Nostromo, with his Cargadores, was pressing them too hard then.

It might have been said that he was only protecting his own. From the first he had been admitted to live in the intimacy of the family of the hotel-keeper, who was a countryman of his: old Giorgio Viola, a Genoese with a shaggy white leonine head – often called simply 'the Garibaldino' (as Mohammedans are called after their prophet).

The old man, full of scorn for the populace, as your austere republican so often is, had disregarded the preliminary sounds of trouble. He went on that day as usual pottering about the 'casa' in his slippers, muttering angrily to himself his contempt of the non-political nature of the riot, and shrugging his shoulders. In the end he was taken unawares by the out-rush of the rabble. It was too late then to remove his family, and indeed where could he have run to with the portly Signora Teresa and the two little girls on that great plain? So, barricading every opening, the old man sat down sternly in the middle of the darkened café with an old shot-gun on his knees. His wife sat on another chair by his side, muttering pious invocations to all the saints of the calendar.

His two girls, the eldest fourteen, and the other two years younger, crouched on the sanded floor, on each side of Signora Teresa, with their heads on their mother's lap, both scared, but each in her own way, the dark-haired Linda indignant and angry, the fair Giselle, the younger, bewildered and resigned. The Patrona moaned a little louder.

'Oh. Gian' Battista.'

She was not then invoking the saint, but calling upon Nostromo, whose patron he was. And Giorgio, motionless on the chair by her side, would be provoked by these reproachful and distracted appeals.

'Peace, woman. Where's the sense of it? There's his duty,' he murmured in the dark; and she would retort, panting –

'Eh, I have no patience. Duty. What of the woman who has been like a mother to him? I bent my knee to him this morning; don't you go out, Gian' Battista – stop in the house, Battistino – look at those two little innocent children.'

(Joseph Conrad, *Nostromo*)

Nostromo (traduction)

L'attaque principale dirigée contre les chantiers du chemin de fer, les bureaux de l'O.S.N. et surtout contre le bâtiment des douanes, dont la chambre forte, de notoriété publique, contenait un important trésor de lingots d'argent, fut un échec total. Même le petit hôtel tenu par le vieux Giorgio, isolé à mi-chemin entre le port et la ville, échappa au pillage et à la destruction, non par miracle, mais parce que, ne pensant qu'aux coffres-forts, les pillards l'avaient d'abord négligé et n'avaient pas eu ensuite le temps de s'y arrêter. Nostromo, avec ses *cargadores*, les serrait alors de trop près.

On aurait pu dire qu'il ne faisait là que défendre les siens. Il avait d'emblée été admis à vivre dans l'intimité de la famille de l'hôtelier qui était un de ses compatriotes: le vieux Giorgio Viola, un Génois qui avait la tête d'un lion à la crinière blanche et hirsute – souvent appelé simplement 'le Garibaldino' (comme les mahométans portent le nom de leur prophète).

Le vieil homme, plein de dédain pour la populace, comme il arrive souvent chez les républicains intransigeants, n'avait guère fait de cas des premiers grondements de l'agitation. Ce jour-là, il avait continué à besogner dans la *casa* en pantoufles, marmonnant pour lui-même sa colère et son mépris pour le caractère apolitique de l'émeute, et haussant les épaules. La racaille déchaînée le prit finalement au dépourvu. Il était alors trop tard pour faire partir sa famille et, d'ailleurs, dans cette vaste plaine, où aurait-il pu fuir, avec la plantureuse signora Teresa et deux petites filles? Donc, après avoir barricadé toutes les ouvertures, le vieillard s'installa résolument au milieu de la salle désormais obscure du café, un vieux fusil de chasse sur les genoux. Sa femme s'assit près de lui, sur une autre chaise, marmonnant de pieuses invocations à l'intention de tous les saints du calendrier.

Ses deux fillettes, l'aînée âgée de quatorze ans, l'autre de deux ans plus jeune, étaient accroupies sur le sable du sol, chacune d'un côté de la signora Teresa, la tête sur les genoux de leur mère, toutes les deux épouvantées, mais chacune à sa manière, Linda, la brune, indignée et furieuse, et la blonde Giselle, la cadette, affolée et résignée. La *patrona* se mit à gémir un peu plus fort.

'Oh! Gian' Battista.'

Ce n'était pas le saint lui-même qu'elle invoquait alors, mais Nostromo, dont il était le saint patron. Et Giorgio, immobile sur son siège, à côté d'elle, s'irritait de ces reproches et de ces appels éperdus.

'Paix! femme! Tu dis des sottises. Il a son devoir à accomplir', murmura-t-il dans l'obscurité, et elle répliquait, haletante:

'Eh! c'est inadmissible! Son devoir! Et la femme qui a été pour lui comme une mère? Je me suis mise à genoux devant lui ce matin: ne sors pas, Gian' Battista, reste à la maison, Battistino, regarde ces deux innocentes petites.'

(Traduction de Paul Le Moal, Editions Gallimard)

Appendice: Verbes irréguliers les plus courants

FORME DE BASE	PASSE	PARTICIPE PASSE
be être	**was**	**been**
beat battre	**beat**	**beaten**
become devenir	**became**	**become**
begin commencer	**began**	**begun**
bend pencher	**bent**	**bent**
bite mordre	**bit**	**bitten**
blow souffler	**blew**	**blown**
break casser	**broke**	**broken**
bring apporter	**brought**	**brought**
build construire	**built**	**built**
buy acheter	**bought**	**bought**
catch attraper	**caught**	**caught**
choose choisir	**chose**	**chosen**
come venir	**came**	**come**
cost coûter	**cost**	**cost**
cut couper	**cut**	**cut**
deal porter (coup)	**dealt**	**dealt**
do faire	**did**	**done**
draw tirer	**drew**	**drawn**
drink boire	**drank**	**drunk**
drive conduire	**drove**	**driven**
eat manger	**ate**	**eaten**
fall tomber	**fell**	**fallen**
feel sentir	**felt**	**felt**
fight combattre	**fought**	**fought**
find trouver	**found**	**found**
fly voler	**flew**	**flown**
freeze geler	**froze**	**frozen**
get obtenir	**got**	**got(ten)**
give donner	**gave**	**given**
go aller	**went**	**gone**
grow grandir	**grew**	**grown**

FORME DE BASE	PASSE	PARTICIPE PASSE
have avoir	**had**	**had**
hear entendre	**heard**	**heard**
hide cacher	**hid**	**hidden**
hit frapper	**hit**	**hit**
hold tenir	**held**	**held**
hurt blesser	**hurt**	**hurt**
keep garder	**kept**	**kept**
know connaître, savoir	**knew**	**known**
leave laisser, partir	**left**	**left**
let laisser	**let**	**let**
lie s'allonger	**lay**	**lain**
lose perdre	**lost**	**lost**
make faire	**made**	**made**
mean vouloir dire, signifier	**meant**	**meant**
meet rencontrer	**met**	**met**
pay payer	**paid**	**paid**
put mettre	**put**	**put**
read [RID] lire	**read** [RED]	**read** [RED]
ride aller à cheval/à bicyclette	**rode**	**ridden**
ring sonner	**rang**	**rung**
rise se lever	**rose**	**risen**
run courir	**ran**	**run**
say dire	**said** [SED]	**said**
see voir	**saw**	**seen**
seek chercher	**sought**	**sought**
sell vendre	**sold**	**sold**
send envoyer	**sent**	**sent**
set placer	**set**	**set**
shine briller	**shone**	**shone**
shoot tirer, abattre	**shot**	**shot**
shut fermer	**shut**	**shut**
sing chanter	**sang**	**sung**
sit s'asseoir	**sat**	**sat**
sleep dormir	**slept**	**slept**
speak parler	**spoke**	**spoken**
spend dépenser, passer (temps)	**spent**	**spent**
stand être debout	**stood**	**stood**
steal voler, dérober	**stole**	**stolen**
swear jurer	**swore**	**swore**
swim nager	**swam**	**swum**
take prendre	**took**	**taken**
teach enseigner	**taught**	**taught**
tear déchirer	**tore**	**torn**
tell dire	**told**	**told**
think penser	**thought**	**thought**
throw lancer	**threw**	**thrown**
understand comprendre	**understood**	**understood**
wake réveiller	**woke**	**woken**
wear porter (vêtement)	**wore**	**worn**
win gagner	**won**	**won**
write écrire	**wrote**	**written**

Réponses aux exercices

LEÇON 1

Exercice 1: 1 is 2 are 3 She is 4 is 5 I am 6 You are 7 They are 8 is

Exercice 2: 1 Is 2 Are you English? 3 Is she African? 4 not 5 is not

Exercice 3: 1 American 2 African 3 English 4 I'm not Italian 5 They're not American 6 you French? I'm 7 Are you English? I am. 8 Is he, No, he's not

Exercice 4: 1 It's four in the morning. 2 It's four in the afternoon. 3 It's ten in the evening. 4 It's five in the morning. 5 It's one in the afternoon. 6 It's three in the morning. 7 It's two in the afternoon. 8 It's nine in the evening. 9 No, it's five in the morning. 10 Yes, it's eight in the evening. 11 No, it's six in the afternoon. 12 No, it's seven in the evening. 13 No, it's nine in the morning.

Exercice 5: 1 Good morning. 2 Good afternoon. 3 Good evening. 4 Good evening. 5 Good afternoon. 6 No, I'm (French). 7 No, thank you. 8 Yes please. 9 Hello, how are you? 10 Good night.

Exercice 6: 1 S 2 Z 3 Z 4 S 5 iZ 6 iZ

Exercice 7: 1 You work. 2 They go. 3 She works. 4 We go. 5 I work in the morning. 6 The bus goes in the afternoon.

Exercice 8: 1 Il vit dans un appartement à Madrid. 2 C'est samedi. Elle travaille le matin. 3 Ils logent chez une famille anglaise. 4 L'autobus vient de Paris. 5 Lundi n'est pas un bon jour. 6 Demande à Marcel. Il parle anglais.

Exercice 9: 1 taxis, men, evenings 2 children, apartments, houses 3 five people: three men and two women 4 three weeks 5 two beers 6 five days 7 There are seven days in a week. 8 Is there a telephone in the house? 9 Are there children in the apartment? 10 Is there a good programme on (the) TV? 11 Is there a taxi? Yes, there are three. 12 There isn't a car in the garage.

Exercice 10: 1 Ils ont deux enfants. 2 Elle est à Paris cinq jours par semaine. 3 Il a trois ou quatre appartements en Espagne. 4 Nous avons une semaine à Athènes et deux jours au Caire. 5 La voiture a cinq portières. 6 Je fais le jardinage.

Exercice 11: 1 boys, plays, valleys 2 ladies, families, countries 3 women, children, men 4 Where is she? 5 When are you in London? 6 Where are the boys? 7 When is the next train? 8 How are the children?

Exercice 12: 1 do 2 does 3 does 4 do 5 Does 6 Do 7 does 8 Do you

Exercice 13: 1 It isn't a very good hotel. 2 He has a big, very expensive car. 3 It's good soup, and it's hot. 4 It's small but very expensive. 5 The lunch is cold but it isn't bad.

Exercice 14: 1 Ce n'est pas bon pour toi. 2 Les connais-tu? (Eux) ils te connaissent. 3 Elle est très célèbre. Vous la connaissez. 4 C'est une bonne boisson. J'aime bien cela. 5 Demande-lui, ou demande-moi. 6 Il y a un message pour vous.

Exercice 15: 1 doesn't 2 don't 3 doesn't 4 don't 5 doesn't 6 Don't 7 Don't 8 doesn't stop 9 Don't come 10 I'm not Italian; I don't speak Italian.

Exercice 16: 1 small 2 of 3 are 4 good 5 don't 6 go 7 big 8 don't

LEÇON 2

Exercice 17: 1 The train goes at eight fifteen. 2 The plane goes at twelve fifteen. 3 The bus goes at eleven twenty. 4 The bus goes at thirteen eighteen. 5 The train goes at fourteen fourteen. 6 The plane goes at fifteen twenty.

Exercice 18: 1 I'll 2 You won't 3 he'll 4 There'll 5 He won't

Exercice 19: 1 Bonjour. Vous désirez quelque chose? 2 Je serai à la maison à 11h 15. 3 Penses-tu que tu iras? 4 C'est très chaud. Je ne peux pas le boire. 5 Quand viendront-ils? 6 Je n'en veux pas. Tu peux le prendre. 7 Il te donnera vingt dollars. 8 Je n'arrive pas à la comprendre.

Exercice 20: 1 Je n'aime pas ces tomates. Je vais prendre celles-là. 2 Voici Catherine. Elle vit ici. 3 Je ne comprends pas. Qu'est-ce que cela veut dire? 4 Comment dis-tu cela en anglais? 5 Ces jours-ci, c'est très animé ici. 6 Ne va pas par là. Va par ici. 7 Je ne serai pas ici ce soir. 8 Pouvez-vous aider ces deux jeunes filles? 9 Ce n'est pas correct. 10 Tu ne peux pas y aller en/par le train.

Exercice 21: 1 He gets 20 dollars an hour. 2 I'll get you a beer. 3 Can we get a sandwich here? 4 You'll get cold. 5 You can't get to the airport that way.

Exercice 22: 1 Here's my father. 2 It's his/her idea. 3 Here's their car. 4 Give me my coat please. 5 Can you give me his/her address?

Exercice 23: 1 don't 2 an 3 seventeen 4 wants 5 Her 6 won't 7 You're 8 can't

Exercice 24: 1 always 2 often 3 always 4 never 5 sometimes 6 often 7 never

Exercice 25: 1 being, going, understanding 2 coming, giving, liking 3 waiting, costing, wanting 4 stopping, shutting, sitting

Exercice 26: 1 me 2 I'll 3 day 4 goes 5 Give 6 people 7 Come 8 house 9 eighteen

Exercice 27: 1 coming 2 sitting, waiting 3 saying 4 going 5 stopping

Exercice 28: 1 He's going 2 I'm not playing 3 Are you working 4 We're doing, tomorrow 5 She's leaving 6 What's happening 7 he's working 8 They're staying 9 is waiting

Exercice 29: 1 Le Président vit à la Maison Blanche. 2 Elle conduit une voiture rouge. 3 Je ne mange pas de bananes vertes. 4 Il porte un haut jaune et marron. 5 Il a les yeux bleus. 6 Son frère a les cheveux noirs.

Exercice 30: 1 a student 2 father is a doctor 3 being an architect 4 a policeman

Exercice 31: 1 black 2 brown 3 He's 4 and 5 working 6 evening 7 He's

Exercice 32: 1 someone 2 everyone, that 3 want something 4 everything here, very 5 every day 6 lives somewhere 7 It's, everywhere.

Exercice 33: 1 In 2 At 3 In 4 In 5 At 6 In 7 At 8 on 9 at 10 at, in 11 In, on 12 on 13 at, on

Exercice 34: 1 Il sait trop. 2 Est-ce que tu aimes ça? Pas beaucoup. 3 Cela coûte trop cher. 4 Je parle un peu italien, mais pas beaucoup. 5 Merci beaucoup.

Exercice 35: 1 Combien coûtent les verts? 2 Les rouges sont très chers. 3 Je préfère les grands bleus. 4 Je n'en veux pas un grand; j'en prendrai un petit.

Exercice 36: 1 Il a une sœur en Amérique et une autre au Japon. 2 Tu peux venir à la même heure. 3 Je ne veux pas ça. Je prendrai l'autre. 4 Je prendrai un autre café, s'il vous plaît. 5 Il n'y en a que six ici. Où sont les autres? 6 Ce n'est pas la même chose.

Exercice 37: 1 I'd like 2 would you like to go 3 wouldn't like to be in your place 4 Would you like 5 I'd like to be 6 Your father wouldn't like 7 Would your friend like

Exercice 38: 1 Who's 2 Why are we 3 What's 4 Why is it 5 Who is 6 What are you

LEÇON 3

Exercice 39: 1 was 2 Were 3 was 4 was 5 were 6 was 7 were 8 Were 9 was 10 were

Exercice 40: 1 sixty-four francs 2 fifty-three dollars seventy 3 thirty-seven Swiss francs 4 forty-five yen 5 eighty-one pounds 6 twenty-three dollars seventy-five 7 seventy-nine dollars sixty-six 8 ninety-five francs 9 a hundred dollars

Exercice 41: 1 two hundred (and) ninety-five 2 one thousand nine hundred 3 a hundred (and) ten thousand 4 fifty-five thousand 5 nine hundred (and) ninety-nine 6 eight hundred (and) thirty 7 three million 8 six thousand five hundred

Exercice 42: 1 Je suis sûr qu'il était dans ta chambre hier. 2 Ils disent qu'il y avait plus d'un million de personnes là-bas. 3 Il dit que ça a coûté un peu plus de 400 dollars. 4 Penses-tu que c'était difficile? 5 Je ne crois pas qu'elle soit née en Espagne.

Exercice 43: 1 out of the house 2 in my room 3 under the window 4 through 5 over the bridge 6 a forest around 7 We'll walk in 8 around

Exercice 44: 1 finished at 10.30 2 tried to get 3 it was too late 4 stopped a taxi 5 you know what happened? 6 refused to take us

Exercice 45: 1 Wednesday 2 on Saturday 3 on Tuesday 4 (on) Sunday 5 on Monday

Exercice 46: 1 Dois-tu partir? 2 Elle ne doit pas être en retard. 3 Ta mère ne doit pas le savoir. 4 Tu ne dois pas (le) lui dire.

Exercice 47: 1 J'ai fini le travail hier. 2 J'ai beaucoup travaillé vendredi. 3 Il a dit qu'il avait très froid. 4 Je l'ai invité à entrer dans la maison. 5 Il a pris deux tasses de café. 6 Il voulait que je l'aide. 7 Nous sommes allés au supermarché.

Exercice 48: 1 Je suis allé à Paris hier. 2 Nous avons fait quelques courses. 3 Nous avons déjeuné au restaurant. 4 J'ai trouvé cela très agréable. 5 Mon père a tout payé. 6 Il a dit qu'il voulait que nous sortions de la maison.

Exercice 49: 1 didn't come 2 didn't invite 3 didn't know 4 didn't enjoy 5 didn't have 6 didn't think

Exercice 50: 1 When did the bus arrive? 2 Did he invite you? 3 Did you know her name? 4 Did you enjoy the party? 5 Did your friend have a coat? 6 What did you think about it?

Exercice 51: 1 I did think of you. 2 I did go to university. 3 I did help him. 4 We did stop at the red light. 5 She did have a sandwich. 6 I did know the answer. 7 He did say it was OK. 8 I did do the washing.

Exercice 52: 1 Did you put 2 She didn't take 3 I saw, she didn't see 4 ate 5 I got

Exercice 53: 1 Pourquoi ne pas enlever ton manteau? 2 Peux-tu allumer le chauffage, s'il te plaît? 3 Eteins cette radio complètement stupide. 4 Je mettrai mon plus beau costume. 5 Ils mirent leur manteau et sortirent. 6 Elle éteignit toutes les lumières.

Exercice 54: 1 did you pay 2 paid you 3 did you put on 4 turns the radio off 5 did you have for lunch 6 happened

LEÇON 4

Exercice 55: 1 Demain, on sera le 10. 2 C'est au troisième étage. 3 C'était mon premier voyage aux Etats-Unis. 4 Hier, c'était lundi 5 octobre.

Exercice 56: 1 Partons. 2 Disons demain matin. 3 Voyons (cela). 4 Montons dans le premier autobus. 5 Descendons près du parc.

Exercice 57: 1 Let's have lunch. 2 Let's wait here. 3 Let her take a taxi. 4 Let's see, it's Thursday the second.

Exercice 58: 1 I haven't got a ticket. 2 My friend's got problems. 3 Has he got a visa? 4 They've got a dog. 5 Have you got twenty dollars?

Exercice 59: 1 C'est le mien/la mienne. 2 Le rouge est le sien. 3 Ce sont tous les vôtres. 4 N'est-ce pas le tien? 5 Je ne suis pas sûr. Je crois que c'est le sien. 6 Ils disent que le terrain est à eux.

Exercice 60: 1 A qui appartiennent-ils? 2 A qui est ce manteau? 3 Le nom de qui est sur le document? 4 A qui la faute?

Exercice 61: 1 Qui est le fils de votre père? my brother 2 Qui est le père de votre fils? my husband 3 Qui est la sœur de votre mère? my aunt 4 Qui est la fille de votre mère? my sister 5 Qui est le mari de votre tante? my uncle 6 Qui est le frère de votre fille? my son

Exercice 62: 1 Martin est le frère de mon ami. 2 Nous irons chez mon père (à la maison de mon père). 3 Le neveu du patron a eu l'emploi. 4 A qui est-ce? Je crois que c'est à ta sœur. 5 Sa tante cuisine merveilleusement bien. 6 En ce moment, Paul est obsédé par le football.

Exercice 63: 1 Il vit au seizième étage. 2 Il est arrivé quinzième sur vingt. 3 Demain, c'est son dix-huitième anniversaire. 4 Huit pour cent, ça équivaut environ à un douzième.

Exercice 64: 1 some 2 any 3 some 4 any 5 someone/somebody 6 anything 7 anything 8 anyone/anybody

Exercice 65: 1 Nous vivons au vingt-troisième étage. 2 Pour la millième fois, non. 3 C'était le 31 décembre. 4 C'est son vingt-cinquième anniversaire demain. 5 C'est le centième anniversaire de la révolution.

Exercice 66: 1 September the thirtieth/the thirtieth of September 2 December the twenty-fifth/the twenty-fifth of December 3 February the twenth-eighth/the twenty-eighth of February 4 August the twenty-first/the twenty-first of August 5 January the second/the second of January 6 March the eleventh/the eleventh of March 7 October the second/the second of October 8 April the twelfth/the twelfth of April 9 June the twenty-second/the twenty-second of June 10 May the nineteenth/the nineteenth of May

Exercice 67: 1 Could I see 2 You could 3 He could 4 I couldn't 5 couldn't

Exercice 68: 1 Les riches devraient aider les pauvres. 2 Mon frère va peut-être venir me voir. 3 Tu devrais partir bientôt. 4 Il pourrait y avoir beaucoup de circulation. 5 Le train ne devrait plus tarder maintenant. 6 Combien devrais-je lui donner? 7 Puis-je dire quelque chose? 8 Tu ne devrais pas te faire du souci pour ça.

Exercice 69: 1 Ça ne semblait pas trop cher. 2 La soupe était trop chaude pour être bue. 3 La plage n'est pas trop loin d'ici. 4 Je n'ai pas trouvé cela trop difficile. 5 Ils sont arrivés trop tôt.

Exercice 70: 1 much 2 many 3 many 4 much 5 much 6 many 7 much 8 many

Exercice 71: 1 yesterday afternoon 2 this evening 3 tomorrow night 4 tonight 5 yesterday evening 6 yesterday morning 7 this morning 8 tomorrow morning

Exercice 72: 1 both 2 Neither 3 both 4 both 5 None 6 both

LEÇON 5

Exercice 73: 1 Il est trop jeune pour cet emploi. 2 L'anglais n'est pas une langue très difficile. 3 Le vin n'est pas mauvais. 4 L'autobus était très lent dans la montagne. 5 Je t'en prie, sois prudent. 6 Nous avons déjeuné rapidement.

Exercice 74: 1 slowly 2 easily 3 completely 4 badly 5 dangerously quickly 6 Surely

Exercice 75: 1 C'est un problème difficile. 2 Il travaille dur. 3 Son anglais est bon. 4 Il parle bien anglais. 5 Ma voiture est très rapide. 6 Ne va pas trop vite.

Exercice 76: 1 Où achetez-vous un pull? In a clothes store. 2 Où pouvez-vous changer des chèques de voyage? At the bank. 3 Où pouvez-vous acheter un billet d'avion? At the travel agent's. 4 Où postez-vous une lettre? At the post office. 5 Où achetez-vous du pain? At the baker's. 6 Où trouvez-vous des cigarettes? At the newsagent's. 7 Où pouvez-vous acheter du shampooing? At the hairdresser. 8 Où est-ce qu'on vous donne de l'argent? At the bank. 9 Où est-ce que les gens font une grande partie de leurs courses? At the supermarket. 10 Où pouvez-vous téléphoner (normalement)? At the post office.

Exercice 77: 1 Je fais les courses une fois par semaine. 2 Il a téléphoné six ou sept fois. 3 Il y a un train deux fois par jour. 4 Je l'ai rencontrée une ou deux fois. 5 Prenez les cachets trois fois par jour.

Exercice 78: 1 has broken 2 haven't paid 3 Has he closed 4 haven't invited 5 Have you had 6 hasn't said

Exercice 79: 1 Avez-vous déjà rencontré Paul? 2 Il a acheté un aller simple pour l'Inde. 3 Cela fait des années qu'il veut y aller. 4 Je lui ai dit que ce serait difficile. 5 Il ne sait pas ce qu'est la vraie pauvreté. 6 Il n'a jamais été vraiment pauvre. 7 Son père l'a toujours aidé.

Exercice 80: 1 nowhere 2 No 3 nothing 4 no 5 No one/Nobody 6 nothing 7 No one/Nobody

Exercice 81: 1 Je ne suis pas obligé de partir maintenant. Je prendrai un taxi. 2 L'avion est à 9.30h et il doit être là une heure à l'avance. **(have to/must)** 3 A mon école, nous devions faire de la gymnastique. 4 Le docteur a dit qu'il doit arrêter de fumer. **(have to/must)** 5 Il ne faut pas prendre la vie trop au sérieux. 6 Les filles n'ont pas à faire le service militaire.

Exercice 82: 1 works 2 or 3 hard 4 well 5 young 6 be 7 nobody 8 went 9 worked 10 maybe

Exercice 83: 1 next 2 week 3 last 4 this 5 this year 6 this week

Exercice 84: 1 She's never been to 2 I've been to 3 I haven't been to 4 have been to 5 Have you been to

Exercice 85: 1 He's going to 2 are we going to 3 You aren't (are not) going to 4 Are you going to 5 It's going to 6 I'm not going to 7 is going to 8 are they going to

Exercice 86: 1 for 2 since 3 since 4 for 5 for 6 Since 7 since 8 for

Exercice 87: 1 Qu'est-ce qui se trouve sur le cou? your head 2 ... sur les bras? your hands 3 ... sur les jambes? your feet 4 ... sur la poitrine? your neck 5 Avec quoi marche-t-on? your legs 6 Qu'est-ce qui se trouve sous le cou? your chest

LEÇON 6

Exercice 88: 1 bigger 2 nicer 3 worse 4 less, more 5 colder 6 further/farther, better 7 smaller 8 hotter

Exercice 89: 1 more dangerous 2 happier 3 slower, more attractive 4 better 5 more careful 6 quicker 7 older 8 worse

Exercice 90: 1 What was the food like? 2 What were the people like? 3 What was the weather like? 4 What were the hotels like? 5 What was the flight like? 6 What were the prices like?

Exercice 91: 1 herself 2 itself 3 yourself 4 myself 5 ourselves 6 themselves 7 himself 8 yourselves

Exercice 92: 1 Ils veulent tous devenir (se faire) plus riches. 2 Je ne pouvais pas m'empêcher de rire. 3 Tu dois t'occuper de toi. 4 C'est un peu banal. Cela se répète de trop. 5 Nous devons décider par nous-mêmes. 6 Il se garde en très bonne forme. 7 Elle s'est coupée. 8 Faites comme chez vous.

Exercice 93: 1 themselves 2 each other 3 themselves 4 each other 5 each other 6 yourself

Exercice 94: 1 Le criminel fut emmené en prison. 2 Vous serez informé demain matin. 3 On ne peut s'attendre à ce qu'il fasse cela. 4 Elle a été droguée. 5 Trois tasses ont été cassées. 6 La voiture est en réparation en ce moment. 6 Le gouvernement est élu pour cinq ans.

Exercice 95: 1 as cold as 2 more important to him than 3 as rich as 4 faster than 5 prettier than 6 worse than 7 less expensive than 8 farther/further than

Exercice 96: 1 (c); 2 (a); 3 (b); 4 (g); 5 (d); 6 (e); 7 (f)

Exercice 97: 1 some Gruyère cheese 2 a cotton dress 3 a headband 4 an office worker 5 a morning train 6 a ham sandwich 7 fish soup 8 a maternity hospital

Exercice 98: 1 an expensive ham sandwich 2 a small black dress 3 a big plastic bag 4 a small red sports car 5 a pretty little house 6 a good red wine

Exercice 99: 1 a thirty-minute delay 2 a hundred-franc note 3 a four-door car 4 a five-course dinner 5 a ten-kilometre walk 6 an all-woman group

Exercice 100: 1 half 2 two thirds 3 half 4 three quarters 5 one and a half 6 a quarter 7 nine tenths 8 tenth

Exercice 101: 1 at my mother's 2 at the hairdresser's 3 at his friend's 4 at the butcher's 5 at the doctor's 6 at Martine's

LEÇON 7

Exercice 102: 1 won't be able to/can't 2 to be able to 3 couldn't 4 being able to 5 haven't been able to

Exercice 103: 1 (that) 2 (that/which) 3 who/that 4 (who/that) 5 who/that 6 that/which 7 which

Exercice 104: 1 quite/rather a difficult 2 good enough/quite good 3 good enough 4 quite a big 5 a very big 6 quite/rather a bad 7 a stupid enough 8 quite a nice 9 a very nice

Exercice 105: 1 thirty-seven point five degrees 2 twenty kilos/kilograms 3 two kilometres 4 one metre eighty or one metre eighty-five 5 fifteen litres 6 a hundred kilometres an hour 7 eighteen degrees 8 ninety kilos/kilograms, a kilo

Exercice 106: 1 used to be 2 used to live 3 used to meet 4 used to believe 5 used to look

Exercice 107: 1 wasn't studying, was playing 2 Were you driving 3 were waiting 4 was trying 5 were living 6 was working 7 Were they arguing 8 wasn't thinking 9 Were you expecting

Exercice 108: 1 Je ne te plains pas. Tout est de ta faute. 2 Autrefois, les Romains se donnaient la mort. 3 Ils l'ont fait entièrement seuls. 4 Il a tué son propre frère. 5 Elle va être en retard à son propre enterrement.

Exercice 109: 1 Il faudra que tu repartes par où tu es venu. 2 Allez dans la ville. Quelqu'un pourra vous indiquer le chemin de là. 3 Prenez la première à gauche, et après c'est tout droit. 4 Vous devez contourner la place et prendre à droite. 5 En Grande-Bretagne, ils roulent à gauche. 6 Pouvez-vous m'indiquer la direction de l'aéroport, s'il vous plaît? 7 Il y a une station-service à vingt kilomètres au nord d'ici.

Exercice 110: 1 (d) 2 (c) 3 (e) 4 (f) 5 (a) 6 (b)

Exercice 111: 1 hotter, hottest 2 highest 3 most 4 prettiest 5 most amusing 6 easiest 7 worst 8 reddest 9 least

Exercice 112: 1 was 2 nothing 3 who 4 was 5 himself 6 as 7 ago 8 than 9 Could 10 Like

LEÇON 8

Exercice 113: 1 Je dois aller à la banque avant la fermeture. 2 On n'aime jamais une chanson avant de l'avoir entendue cinq ou six fois. 3 Après avoir joué au tennis pendant une heure, il était assez fatigué. 4 Le téléphone sonne toujours lorsque l'on prend un bain. 5 Veux-tu aller aux toilettes avant que nous partions? 6 J'aime bien y être une heure avant le départ de l'avion. 7 Quand il le veut, il peut être très, très agréable. 8 Tout allait bien jusqu'au moment où tu es arrivé. 9 Après avoir fini mes études, je voyagerai. 10 Dis-moi quand ce sera prêt.

Exercice 114: 1 tiring 2 amusing 3 excited 4 boring 5 amused 6 tired

Exercice 115: 1 Dans quoi dort-on? a bed 2 Où se lave-t-on? in a bath 3 Par où regarde-t-on? a window 4 Où s'asseoit-on? on a chair 5 Où pose-t-on le dîner? on a table

Exercice 116: 1 had stopped 2 had given 3 Had you been 4 hadn't paid 5 had done 6 had gone

Exercice 117: 1 Avec quoi entend-on? the ears 2 Avec quoi mange-t-on? the mouth 3 Avec quoi voit-on? the eyes 4 Qu'est-ce qui se trouve au-dessus de la bouche? the nose 5 Qu'est-ce qui se trouve (normalement) au-dessus des yeux? hair

Exercice 118: 1 aren't they? 2 isn't he? 3 can't you? 4 can he? 5 doesn't she? 6 didn't they?

Exercice 119: 1 While 2 during 3 during 4 while 5 during 6 during

Exercice 120: 1 Où gare-t-on la voiture? in the garage 2 Où mange-t-on? in the dining room 3 Où regarde-t-on la télévision? in the living room 4 Où dort-on? in the bedroom 5 Où se lave-t-on? in the bathroom 6 Où fait-on du café? in the kitchen

Exercice 121: 1 Il se prend pour un expert. (Il croit qu'il est un expert.) 2 Il dit à tout le monde que son père est millionnaire. 3 Tout le monde sait que ce n'est pas vrai. 4 Une fois, il a dit qu'il savait parler russe. 5 Nous avons décidé d'acheter un journal russe. 6 Il a dit qu'il ne pouvait pas le lire. 7 Il a dit qu'il était écrit dans un dialecte spécial.

Exercice 122: 1 you're ready 2 how much it was 3 what he did 4 where the toilet is? 5 what that means 6 if I was coming 7 if I enjoyed it 8 if we can park here 9 what the matter is 10 when the train leaves

Exercice 123: 1 to stay 2 not to get up 3 to tell 4 to take, not to tire

Exercice 124: 1 were 2 went 3 asked 4 to 5 how 6 till 7 which 8 before 9 from

Exercice 125: 1 do 2 do 3 make 4 made 5 made 6 did 7 make 8 do

Exercice 126: 1 said 2 Tell 3 tells 4 says 5 tell 6 say 7 told 8 told 9 said

Exercice 127: 1 I was right. 2 You'll be cold. 3 It's warm. 4 She was thirsty. 5 He's not wrong. 6 Are you hungry?

Exercice 128: 1 Did you? 2 Doesn't he? 3 Are you? 4 Is he? 5 Has he? 6 Does she? 7 Would you? 8 Were they?

LEÇON 9

Exercice 129: 1 Tu peux le faire si tu essaies. 2 Je viendrai demain, si tu veux bien. 3 Si tu veux, je conduis. 4 L'électricité va être coupée, si tu ne paies pas la facture. 5 Je conduirai, à moins que tu préfères conduire. 6 Si hier c'était lundi, aujourd'hui, on doit être mardi.

Exercice 130: 1 have just explained/just explained 2 have just made/just made 3 Have you just telephoned/Did you just telephone 4 has just been paid/was just paid 5 has just told/just told

Exercice 131: 1 Je suis prête dans deux minutes. Je ne fais que me coiffer. 2 Il a échappé de justesse à la mort. 3 C'est simplement l'une de ces choses. 4 Je venais de m'attabler devant mon dîner quand le téléphone a sonné. 5 Il était justement ici ce matin.

Exercice 132: 1 probably 2 automatically 3 happily 4 well 5 gently 6 Economically

Exercice 133: 1 worse 2 harder 3 more often 4 as soon as 5 more emphatically 6 later

Exercice 134: 1 (the) latest 2 worst 3 fastest, earliest 4 most probably 5 (the) best 6 most politely 7 most recently

Exercice 135: 1 were/was, would buy 2 wouldn't believe, told 3 Would you like, did 4 weren't/wasn't, would be 5 asked, would help 6 would come, didn't cost

Exercice 136: 1 would have been, hadn't stopped 2 would you have done, had said 3 had acted, wouldn't have happened 4 wouldn't have enjoyed, had paid 5 had asked, would have helped 6 wouldn't have believed, had seen

Exercice 137: 1 Que fait-on avec ses yeux? see 2 Que fait-on avec les oreilles? hear 3 Que fait-on avec le nez? smell 4 Que fait-on devant une émission télévisée? look at it 5 Que fait-on avec une radio? listen to it 6 Que fait-on avec du café? taste it

Exercice 138: 1 Have you been waiting 2 has been looking 3 have you been doing 4 haven't been feeling 5 hasn't been eating 6 have been expecting 7 has been losing

Exercice 139: 1 Est-ce que je peux vous aider? 2 Pourriez-vous me prêter dix dollars? 3 Puis-je utiliser votre téléphone? 4 Quelqu'un pourrait te voir. 5 Il doit être aux alentours de midi. 6 Il devrait travailler plus dur. 7 On danse? 8 Il ne devrait pas fumer autant. 9 Nous nous reverrons. 10 Il ne voudrait pas être à ma place.

Exercice 140: 1 Quel temps fait-il chez vous en janvier? It's windy and rainy. 2 Quel temps fait-il en juillet? It's sunny. 3 Est-ce pareil en novembre? No, it's rainy and foggy. 4 Quand y a-t-il du vent? In March. 5 Pleut-il suffisamment? Yes. 6 Aimez-vous la neige? Yes./No.

Exercice 141: 1 were 2 had visited 3 had had 4 were/was 5 had been 6 ruled 7 paid 8 didn't know 9 knew

Exercice 142: 1 Il n'est pas très intelligent, mais au moins il fait des efforts. 2 Je te verrai au plus tard mardi. 3 Je ne le comprenais pas au début. 4 Cela te coûtera au moins cent dollars. 5 Il n'a pas plus de 18 ans. 6 Au mieux tu reviendras transi et fatigué. 7 C'est enfin le jour de paie. 8 Je ne peux pas le faire avant mardi au plus tôt.

LEÇON 10

Exercice 143: 1 because 2 Because of 3 because 4 so 5 Because 6 so

Exercice 144: 1 Rends-nous visite quand tu passes par ici. 2 Je te trouverai où que tu sois. 3 Quoi que tu fasses, ne touche pas à cela. 4 Qui que ce soit qui ait dit cela a eu tort. 5 Prends celui que tu préfères. 6 Achète-le, quel que soit le prix.

Exercice 145: 1 down, up 2 along (/up/down) 3 towards 4 past 5 forward 6 in 7 into 8 back

Exercice 146: 1 Je devrais être en train de travailler. 2 Tu plaisantes! 3 Ils s'amusent peut-être. 4 Je mentirais si je disais oui. 5 Il ne peut pas nous parler. 6 Avec un peu de chance, j'irai peut-être au Japon. 7 Le train devrait arriver d'une minute à l'autre maintenant. 8 Ce serait peut-être risqué pour toi. 9 Je ne resterai pas longtemps.

Exercice 147: 1 at 2 after 3 up 4 out 5 forward to 6 for

Exercice 148: 1 Nous ferions mieux de nous arrêter avant qu'il ne soit trop tard. 2 Les criminels feraient mieux de prendre garde. 3 Ne ferais-tu pas mieux de te préparer? 4 Tu ferais mieux de lui dire la vérité. 5 Je ferais mieux de réserver une chambre.

Exercice 149: 1 So will I. 2 So did I. 3 Neither can I. 4 So am I. 5 So do I. 6 Neither should I. 7 So was I. 8 Neither have I. 9 So did I. 10 So must I.

Exercice 150: 1 Qu'utilise-t-on pour couper? a knife 2 Que trouve-t-on sur la table au dîner? plates, forks, knives, glasses 3 Avec quoi mange-t-on une glace? a spoon 4 Que demande-t-on avant de manger? the menu 5 Que demande-t-on après le repas? the bill/the check 6 Dans quoi boit-on le café? a cup 7 Dans quoi boit-on du vin? a glass

Exercice 151: 1 There were only two people there. 2 It's only four dollars. 3 Only you could do that. 4 It's only natural. 5 You only have to ask. 6 I only arrived yesterday.

Exercice 152: 1 to go 2 selling 3 going 4 to do 5 to be 6 leave/leaving 7 to hurry up 8 to think 9 work 10 to help 11 going/go 12 drive

Exercice 153: 1 must be prepared 2 can't be repaired 3 may be changed 4 will be made 5 should be marked 6 would be told 7 ought to be arrested 8 couldn't be expected

Exercice 154: 1 ice 2 night 3 snow 4 houses 5 a tomato

Exercice 155: 1 a little 2 a few 3 little 4 little 5 Few 6 a little 7 few 8 a few

Exercice 156: 1 took up 2 take off 3 take back 4 took out 5 taken away 6 taken off 7 take back

Exercice 157: 1 She was often ill. 2 I usually go by car. 3 I have never been skiing. 4 Always look before crossing the road. 5 They can seldom be seen in the city.

Exercice 158: 1 Elle l'a fait parler pendant des heures. 2 Reste sur la gauche. 3 Il lui est difficile de garder un emploi pendant longtemps. 4 J'oublie toujours son nom. 5 S'il continue à faire cela, il va avoir des ennuis.

LEÇON 11

Exercice 159: 1 safe for them to cross 2 impossible to be 3 pleased to meet 4 difficult for him to contact 5 simpler for me to pay

Exercice 160: 1 and 2 or 3 and 4 or, but 5 also 6 too

Exercice 161: 1 up 2 for 3 up 4 up for 5 out 6 up

Exercice 162: 1 again 2 still 3 again 4 still 5 still 6 yet 7 again 8 yet

Exercice 163: 1 too soon to say 2 too old to learn 3 too far for you to walk 4 too heavy for me to carry 5 too late for you to change 6 too hot to touch 7 too young to understand

Exercice 164: 1 Either, or 2 either 3 neither 4 neither, nor 5 either 6 Either, or 7 either

Exercice 165: 1 It's been such a long time (that) I've forgotten. 2 The traffic was so bad (that) they missed the train. 3 I am so hungry (that) I could eat a horse. 4 It's such nice weather (that) we should go out. 5 It happened so fast (that) I couldn't do anything. 6 He was so shocked (that) he dropped his glass. 7 He got such a shock (that) he dropped his glass.

Exercice 166: 1 matter 2 mind 3 matter 4 minded 5 mind

Exercice 167: 1 had been living 2 had been expecting 3 Had you been waiting 4 hadn't been listening

Exercice 168: 1 will you be sleeping, have, are visiting 2 are having, don't like, see, know, are getting, doesn't seem, am beginning 3 is watching, don't understand, are showing, hates

Exercice 169: 1 by 2 till 3 by 4 till 5 by 6 by

Exercice 170: 1 I don't mind at all. 2 The police did nothing at all about it. 3 It wasn't pleasant at all. 4 Nobody was interested at all. 5 In no time at all the place was empty. 6 I've got no money at all till pay-day.

Exercice 171: 1 anyway 2 Otherwise 3 Still 4 Anyway 5 Still

Exercice 172: 1 without 2 opposite 3 between 4 against 5 against 6 beyond

Exercice 173: 1 had been told 2 hadn't been invited 3 had been murdered 4 had the lights been left 5 had been repaired

Exercice 174: 1 He hasn't. 2 He isn't. 3 There won't. 4 She doesn't. 5 She can't. 6 It hadn't. 7 He wasn't. 8 He didn't.

LEÇON 12

Exercice 175: 1 She bought her a drink to meet her new boyfriend. 2 You go to school to learn something. 3 He didn't do it to cause trouble. 4 I'm saving to buy a car.

Exercice 176: 1 Apporte-le ici, que tout le monde puisse rire. 2 Je l'ai changé pour que le chef ne remarque rien. 3 Au cas où tu te poserais des questions, c'est ma nièce. 4 Ouvre une fenêtre pour qu'on n'étouffe pas. 5 La télévision est allumée pour qu'il puisse regarder les informations. 6 L'armée est en état d'alerte au cas où il y aurait une urgence.

Exercice 177: 1 it 2 to 3 to, to 4 so 5 it 6 so

Exercice 178: 1 C'est peut-être le Brésil qui a gagné la Coupe du Monde cette année-là. 2 La France aurait pu gagner la Coupe du Monde cette année-là./C'est peut-être la France qui a gagné ... 3 Sa voiture n'est pas là. Il a dû partir. 4 Ils auront fini de dîner avant 8h. 5 C'était magnifique. Tu aurais dû voir cela. 6 Peut-être m'a-t-il dit son nom./Il aurait pu me dire son nom. 7 Tu n'as pas pu boire tout ça. 8 Il aurait dû le dire à ses parents. 9 Tu ne te serais pas amusé du tout.

Exercice 179: 1 On dirait qu'il a des ennuis. 2 Elle m'a demandé de l'aider, comme si j'avais le temps. 3 Tu en parles comme si tu en sais quelque chose. 4 On aurait dit qu'il allait pleuvoir. 5 Il dépense l'argent sans penser au lendemain.

Exercice 180: 1 Dear 2 you 3 from 4 to 5 able 6 you 7 Love

Exercice 181: 1 Hello, Mr Smith./Hello, George. Pleased to meet you. 2 Excuse me! 3 Goodbye. 4 Waiter! 5 This is Sarah Bell. 6 Officer! 7 G'd evening.

Exercice 182: 1 Congratulations. 2 Happy Christmas. 3 I'm afraid he isn't here. 4 Bon appétit (ou rien). 5 Cheers. 6 I'm sorry to hear that.

Exercice 183: 1 Comment ose-t-il dire cela? 2 La voiture a besoin d'un nouveau moteur. 3 C'était sans danger. Vous n'auriez pas dû vous faire de souci. 4 Je crois pouvoir dire qu'il sait ce qu'il fait. 5 As-tu besoin de faire un bruit pareil? 6 Il a simplement besoin d'une bonne nuit de sommeil. 7 Tu n'as pas besoin de lui expliquer; il sait comment le faire.

Exercice 184: 1 some 2 one 3 any 4 one 5 some

Exercice 185: 1 He can still ski, although (/though/even though) he's not as good as he used to be. 2 Although he was a rich man then, he didn't forget his friends. 3 I'll try to help, although I don't know much about it. 4 She was really quite badly hurt, although it was only a small accident. 5 However hard I try, I can't understand it. 6 It still works well, however old it may be.

Index et glossaire

been [BIN] 68 (Sec 76)
beer [BIA] 25 (Ex 9)
before [BeFOR] 102 (Sec 115)
behave [BeHEIV] 142 (Ex 166)
believe [BeLIV] 31 (Ex 18)
best [BEST] 100 (Sec 114)
better [BETA] 78 (Sec 88), 129 (Sec 150)
between [BeTWIN] 148 (Sec 174)
beyond [BeYOND] 148 (Sec 174)
bicycle [BAISiKL] 75 (Sec 85)
big [BiG] 27 (Conv)
bill [BiL] 70 (Ex 78), 87 (Sec 100)
birthday [BERTHDEI, BERTHDI] 39 (Ex 33)
bit [BiT] 43 (Sec 41)
black [BLAEK] 36 (Sec 29)
blind [BLAIND] 94 (Sec 108)
blow [BLOU] 123 (Sec 142)
blue [BLU] 36 (Sec 29)
book [BuK] 33 (Conv), 128 (Sec 142)
bore [BOR] 88 (Ex 100)
boring [BORiNG] 43 (Conv)
born [BORN] 42 (Ex 39)
borrow [BOROU] 136 (Ex 156)
boss [BOS] 36 (Ex 28)
both [BOUTH] 64 (Sec 72)
bother [BODHA] 147 (Conv)
bottle [BOTL] 45 (Conv)
bought [BORT] 88 (Ex 100)
boy [BOI] 20 (Sec 6)
boyfriend [BOIFREND] 150 (Ex 175)
bread [BRED] 69 (Ex 76)
break [BREIK] 68 (Sec 76)
breakfast [BREKFeST] 94 (Sec 108)
bridge [BRiDZH] 45 (Sec 44)
bring [BRiNG] 150 (Sec 178)
broken [BROUKeN] 68 (Sec 76)
brother [BRADHA] 37 (Ex 29)
brown [BRAUN] 36 (Sec 29)
buffet [BuFEI] 109 (Ex 124)
bump [BAMP] 143 (Conv)
bus [BAS] 23 (Ex 7)
busy [BiZI] 32 (Ex 20)
but [BAT] 21 (Conv), 28 (Ex 13)
butcher [BuTCHA] 89 (Ex 109)
butter [BATA] 95 (Conv)
button [BATeN] 53 (Ex 54)
buy [BAI] 88 (Ex 100)
by [BAI] 75 (Sec 85), 146 (Sec 171)

cake [KEIK] 151 (Ex 177)
call [KORL] 84 (Sec 97)
came [KEIM] 50 (Sec 50)
camera [KAEMRA] 150 (Sec 178)
camping [KAEMPiNG] 45 (Conv)
can [KAEN, KeN] 30 (Sec 22)
Canadian [KeNEIDIeN] 23 (Conv)
cancel [KAENSeL] 126 (Sec 145)
capital [KAEPiTeL] 18 (Ex 1), 137 (Conv)
car [KAR] 24 (Sec 11)
card [KARD] 137 (Conv)
care [KEA] 59 (Ex 64)
careful [KEAFeL] 66 (Sec 74)
carry [KAERI] 140 (Ex 163)
case [KEIS] 140 (Ex 163)
cash [KAECH] 124 (Ex 141)
cat [KAET] 63 (Conv)
cause [KORZ] 150 (Ex 175)
cement [SeMENT] 95 (Sec 108)
centre [SENTA] 78 (Ex 88)
certainly [SERTeNLI] 57 (Conv)
chair [TCHEA] 103 (Sec 117)
chance [TCHARNS, TCHAENS] 29 (Ex 16)
change [TCHEINDZH] 37 (Conv)
cheap [TCHIP] 116 (Sec 134)
check/cheque [TCHEK] 33 (Conv)
check [TCHEK] 130 (Sec 152)
Cheers [TCHIAZ] 158 (Sec 185)
cheese [TCHIZ] 31 (Conv)
chess [TCHES] 94 (Sec 108)
chest [TCHEST] 77 (Sec 87)
child [TCHAILD] 23 (Sec 11)
children [TCHiLDReN] 23 (Sec 11)
choice [TCHOIS] 145 (Conv)
choose [TCHUZ] 90 (Sec 105)
Christmas [KRISMeS] 158 (Sec 185)
church [TCHERTCH] 45 (Sec 44)
city [SiTI] 26 (Sec 16)
cigarette [SiGeRET] 69 (Ex 76)
cinema [SiNeMA] 114 (Sec 131)
clever [KLEVA] 125 (Ex 142)
close [KLOUZ] 22 (Sec 9)
clothes [KLOUDHZ] 69 (Sec 77)
club [KLAB] 84 (Conv)
coat [KOUT] 33 (Sec 24)
coffee [KOFI] 23 (Conv)
Coke [KOUK] 29 (Conv)
cold [KOULD] 28 (Sec 18), 55 (Sec 58)
college [KOLeDZH] 37 (Ex 31)
come [KAM] 22 (Sec 9)
comfortable [KAMFTeBL] 103 (Conv)
common [KOMeN] 106 (Ex 119)
company [KAMPeNI] 118 (Sec 136)
compensation [KOMPeNSEICHeN] 71 (Conv)
complete [KeMPLIT] 67 (Ex 74)
complicate [KOMPLiKEIT] 141 (Ex 164)
comprehension [KOMPReHENCHeN] 148 (Sec 174)
compromise [KOMPReMAIZ] 101 (Conv)
computer [KOMPYUTA] 76 (Ex 86)
concrete [KONGKRIT] 57 (Sec 62)
conference [KONFeReNS] 127 (Conv)
congratulations [KeNGRAETYeLEICHeNZ] 158 (Sec 185)

consultant [KeNSALTeNT] 86 (Sec 98)
contact [KONTAEKT] 138 (Ex 159)
continue [KeNTiNYU] 132 (Sec 154)
control [KeNTROUL] 68 (Sec 76)
cook [KuK] 101 (Conv)
cooking [KuKiNG] 57 (Ex 62)
copper [KOPA] 95 (Sec 108)
copy [KOPI] 110 (Sec 127)
correct [KeREKT] 23 (Conv)
cost [KOST] 27 (Ex 12)
cotton [KOTeN] 86 (Sec 99)
could [KuD, KeD] 61 (Sec 67)
country [KANTRI] 26 (Ex 11)
couple [KAPL] 139 (Conv)
course [KORS] 87 (Ex 99)
cousin [KAZN] 146 (Sec 173)
crash [KRAECH] 82 (Sec 93)
crazy [KREIZI] 48 (Ex 46)
cream [KRIM] 59 (Conv)
credit [KREDiT] 137 (Conv)
criminal [KRiMeNeL] 83 (Ex 94)
cross [KROS] 136 (Ex 157)
crowd [KRAUD] 35 (Conv)
cup [KAP] 49 (Ex 47)
current [KAReNT] 57 (Ex 62)
customer [KASTeMA] 122 (Sec 140)
customs [KASTeMZ] 125 (Conv)
cut [KAT] 81 (Ex 92)

damage [DAEMeDZH] 132 (Sec 154)
damn [DAEM] 127 (Conv)
dance [DARNS, DAENS] 83 (Sec 94)
dangerous [DEINDZHeReS] 43 (Sec 41)
dare [DEA] 159 (Sec 186)
dark [DARK] 36 (Sec 29)
darling [DARLiNG] 154 (Sec 182)
date [DEIT] 55 (Conv)
daughter [DORTA] 56 (Sec 61)
day [DEI] 23 (Ex 8)
dead [DED] 55 (Conv)
deadly [DEDLI] 159 (Conv)
deal [DIL] 91 (Conv)
dear [DIA] 154 (Sec 182)
death [DETH] 131 (Sec 153)
December [DeSEMBA] 60 (Sec 66)
decide [DeSAID] 81 (Ex 92)
decorate [DEKeREIT] 101 (Ex 112)
degree [DeGRI] 93 (Sec 107)
delay [DeLEI] 87 (Ex 99)
delicate [DELiKeT] 85 (Conv)
delicious [DeLiCHeS] 47 (Sec 46)
demented [DeMENTiD] 154 (Sec 181)
design [DeZAIN] 86 (Sec 98)
detail [DITEIL] 85 (Ex 96)
dictionary [DiKCHeNRI] 129 (Ex 147)
did [DiD] 49 (Sec 49)
diet [DAIAT] 73 (Conv)
difference [DiFReNS] 41 (Sec 37)
different [DiFReNT] 40 (Sec 35)
difficult [DiFiKeLT] 44 (Ex 42)
difficulty [DiFiKeLTI] 101 (Ex 112)
dining room [DAINiNG] 106 (Sec 121)
dinner [DiNA] 52 (Ex 52)
direct [DeREKT, DAIREKT] 98 (Sec 113)
direction [DeREKCHeN] 98 (Sec 113)
disastrous [DiZARSTReS] 94 (Sec 108)
discuss [DeSKAS] 122 (Sec 140)
dish [DiCH] 73 (Conv)
display [DiSPLEI] 159 (Conv)
distance [DiSTeNS] 88 (Ex 100)
district [DiSTRiKT] 38 (Sec 32)
disturb [DeSTERB] 36 (Ex 28)
do [DU, Du] 25 (Sec 14), 27 (Sec 17)
doctor [DOKTA] 37 (Ex 30)
document [DOKYUMeNT] 56 (Ex 60)
does [DAZ, DeZ] 25 (Sec 14)
dog [DOG] 55 (Ex 58)
dollar [DOLA] 30 (Sec 22)
done [DAN] 68 (Sec 76)
door [DOR] 25 (Ex 10)
double [DABL] 137 (Conv)
doubt [DAUT] 96 (Sec 109)
down [DAUN] 127 (Sec 147)
dreadful [DREDFeL] 120 (Sec 138)
dress [DRES] 86 (Ex 97)
drink [DRiNGK] 28 (Sec 18)
drive [DRAIV] 36 (Ex 29)
drop [DROP] 142 (Ex 165)
drove [DROUV] 91 (Ex 103)
drug [DRAG] 83 (Ex 94)
drunk [DRANK] 85 (Conv)
during [DYURiNG] 106 (Sec 121)

each [ITCH] 138 (Ex 160)
each other 82 (Sec 92)
ear [IA] 104 (Sec 119)
early [ERLI] 53 (Conv)
earth [ERTH] 107 (Sec 123)
east [IST] 98 (Sec 113)
easy [IZI] 34 (Sec 26)
eat [IT] 37 (Ex 29)
economic [EKeNOMiK] 116 (Ex 132)
education [EDYuKEICHeN] 37 (Ex 31)
effort [EFeT] 110 (Sec 127)
eight [EIT] 54 (Sec 7)
eighteen [EITIN] 30 (Sec 21)
eighth [EITTH] 54 (Sec 56)
eighty [EITI] 42 (Sec 39)
either [AIDHA, IDHA] 141 (Sec 166)
elect [eLEKT] 83 (Ex 94)
electricity [eLEKTRiSiTI] 22 (Ex 6)
electronic [eLeKTRONiK] 116 (Sec 133)
eleven [eLEVeN] 30 (Sec 21)
eleventh [eLEVeNTH] 58 (Sec 63)
emergency [eMERDZHeNSI] 151 (Ex 176)
emphatic [EMFAETiK] 117 (Ex 133)

employ [eMPLOI] 118 (Sec 136)
empty [EMTI] 67 (Ex 74)
end [END] 35 (Ex 26)
engine [ENDZHeN] 47 (Conv)
engineer [ENDZHeNIA] 37 (Conv)
English [iNGGLiCH] 18 (Ex 1)
enjoy [eNDZHOI] 50 (Ex 49)
enough [eNAF] 92 (Ex 106)
escape [eSKEIP] 131 (Sec 153)
etc [ETSETRA] 70 (Sec 78)
European [YUREPIEN] 23 (Sec 10)
evening [IVNiNG] 20 (Sec 6)
every [EVRI] 38 (Sec 31)
excellent [EKSeLENT] 156 (Sec 183)
exchange [eKSTCHEINDZH] 143 (Conv)
exciting [eKSAITiNG] 71 (Conv)
excuse [eKSKYUZ] 53 (Conv)
exhibition [EKSiBiCHeN] 79 (Conv)
expect [eKSPEKT] 51 (Conv)
expensive [eKSPENSeV] 28 (Ex 13)
experience [eKSPIARIeNS] 101 (Ex 111)
experiment [eKSPERiMENT] 68 (Sec 76)
expert [EKSPERT] 76 (Ex 86)
explain [eKSPLEIN] 72 (Ex 80)
export [EKSPORT] 95 (Sec 108)
extra [EKSTRA] 151 (Conv)
extrovert [EKSTReVERT] 99 (Conv)
eye [AI] 37 (Ex 29)

face [FEIS] 57 (Sec 62)
fact [FAEKT] 73 (Ex 82)
factory [FAEKTRI] 76 (Ex 86)
Fahrenheit [FAEReNHAIT] 93 (Sec 107)
fail [FEIL] 72 (Sec 81)
fair [FEA] 95 (Conv)
fairly [FEALI] 72 (Ex 82)
family [FAEMeLI] 21 (Conv)
famous [FEIMeS] 28 (Ex 14)
far [FAR] 62 (Sec 69)
farther [FARDHA] 78 (Sec 88)
fashion [FAECHeN] 87 (Conv)
fashionable [FAECHeNeBL] 117 (Conv)
fast [FARST, FAEST] 67 (Ex 74)
fat [FAET] 73 (Conv)
father [FARDHA] 23 (Conv)
fault [FOLT] 56 (Ex 60)
February [FEBYURI] 60 (Sec 66)
fed up [FED AP] 19 (Conv)
feel [FIL] 88 (Ex 100)
feeling [FILiNG] 47 (Conv)
feet [FIT] 24 (Sec 11)
few [FYU] 135 (Sec 157)
field [FILD] 145 (Ex 168)
fifteen [FiFTIN] 25 (Conv)
fifth [FiFTH] 54 (Sec 56)
fifty [FiFTI] 42 (Sec 39)
fight [FAIT] 148 (Sec 174)
fill [FiL] 109 (Conv)
finally [FAINeLI] 67 (Conv)
find [FAIND] 62 (Sec 69)
fine [FAIN] 21 (Conv), 91 (Ex 103)
finish [FiNiCH] 22 (Sec 9)
fire [FAIA] 89 (Sec 103)
firm [FERM] 73 (Ex 82)
first [FERST] 54 (Sec 56)
fish [FiCH] 86 (Sec 98)
fit [FiT] 81 (Ex 92)
five [FAIV] 20 (Sec 7)
flight [FLAIT] 80 (Ex 90)
floor [FLOR] 54 (Ex 55)
flower [FLAUA] 159 (Conv)
flu [FLU] 43 (Conv)
fly [FLAI] 75 (Sec 85)
fog [FOG] 123 (Sec 142)
food [FUD] 43 (Conv)
fool [FUL] 59 (Ex 64)
foot [FuT] 24 (Sec 11)
football [FuTBORL] 57 (Ex 62)
for [FOR] 28 (Ex 14)
foreign [FOReN] 131 (Conv)
forest [FOReST] 45 (Ex 43)
forget [FeGET] 130 (Ex 149)
fork [FORK] 130 (Sec 152)
form [FORM] 109 (Conv)
forty [FORTI] 42 (Sec 39)
forward [FORoueD] 127 (Sec 147)
four [FOR] 20 (Sec 7)
fourteen [FORTIN] 30 (Sec 21)
fourth [FORTH] 54 (Sec 56)
fragile [FRAEDZHAIL] 116 (Ex 132)
franc [FRAENGK] 43 (Ex 40)
free [FRI] 46 (Sec 45), 146 (Sec 173)
French [FRENCH] 18 (Ex 1)
frequent [FRIKOUENT] 116 (Sec 134)
friend [FREND] 24 (Sec 11)
friendly [FRENDLI] 86 (Sec 98)
Friday [FRAIDI] 31 (Ex 18)
from [FROM] 23 (Ex 8)
front [FRANT] 111 (Conv)
fruit [FRUT] 95 (Sec 108)
full [FuL] 88 (Ex 100)
fun [FAN] 34 (Sec 26)
funeral [FYUNeReL] 98 (Ex 108)
funny [FANI] 69 (Conv)
furniture [FERNiTCHA] 95 (Sec 108)
further [FERDHA] 78 (Sec 88)

gallon [GAELeN] 93 (Sec 107)
game [GEIM] 77 (Conv)
garage [GAERARZH] 25 (Ex 9)
garden [GARDeN] 25 (Ex 10)
gas [GAES] 89 (Ex 109)
gasket [GAESKiT] 133 (Conv)
gave [GEIV] 68 (Sec 76)
gear [GIA] 67 (Conv)

gentle [DZHENTL] 116 (Ex 132)
gentleman [DZHENTLMeN] 154 (Sec 182)
get [GET] 32 (Ex 20)
girl [GERL] 20 (Sec 6)
girlfriend [GERLFREND] 27 (Conv)
give [GiV] (Sec 22)
given [GiVeN] 68 (Sec 76)
glad [GLAED] 156 (Sec 184)
glass [GLARS, GLAES] 41 (Ex 37)
glasses [GLARSeZ, GLAESeZ] 139 (Ex 161)
go [GOU] 22 (Sec 9)
going to [GOUiNG Tu, GeNe] 74 (Sec 84)
gold [GOULD] 134 (Sec 156)
golf [GOLF] 143 (Sec 169)
gone [GON] 68 (Sec 76)
good [GuD] 21 (Sec 8), 28 (Sec 18)
goodbye [GuBAI] 84 (Sec 97)
good-looking [GuD LuKiNG] 138 (Ex 160)
got [GOT] 52 (Sec 52)
government [GAVeMeNT] 83 (Ex 94)
grandmother [GRAENMADHA] 109 (Conv)
great [GREIT] 67 (Conv)
green [GRIN] 36 (Sec 29)
group [GRUP] 87 (Sec 100)
guitar [GeTAR] 116 (Ex 132)
gymnastics [DZHiMNAESTiKS] 73 (Ex 81)

had [HAED] 49 (Sec 49)
hair [HEA] 37 (Ex 29)
hairdresser [HEADRESA] 69 (Sec 77)
half [HARF, HAEF] 88 (Sec 101)
hall [HORL] 106 (Sec 121)
ham [HAEM] 31 (Conv)
hamburger [HAEMBERGA] 100 (Sec 114)
hand [HAEND] 77 (Sec 87)
happen [HAEPeN] 36 (Ex 28)
happy [HAEPI] 100 (Sec 114)
hard [HARD] 67 (Ex 74)
has [HAEZ, HeZ] 25 (Sec 14)
hat [HAET] 48 (Ex 46)
hate [HEIT] 144 (Sec 170)
have [HAEV, HeV] 25 (Sec 14)
have to [HAEV Tu] 72 (Sec 81)
he [HI, Hi] 18 (Sec 1)
head [HED] 77 (Sec 87)
hear [HIA] 41 (Ex 37)
heating [HITiNG] 52 (Ex 53)
heaven [HEVeN] 141 (Conv)
heavy [HEVI] 93 (Conv)
Hello [HeLOU] 21 (Sec 8)
help [HELP] 30 (Sec 22)
helpful [HELPFeL] 109 (Ex 124)
her [HER] 28 (Sec 19)
hers [HERZ] 56 (Sec 59)
here [HIA] 31 (Ex 18)
Hey [HEI] 157 (Sec 184)
Hi [HAI] 21 (Sec 8)
hide [HAID] 150 (Sec 178)
high [HAI] 126 (Ex 143)
him [HiM] 28 (Sec 19)
his [HiZ] 33 (Sec 24)
holiday [HOLiDEI, HOLiDI] 106 (Ex 119)
home [HOUM] 33 (Ex 23)
honest [ONeST] 51 (Ex 50)
hope [HOUP] 46 (Sec 45)
horse [HORS] 80 (Sec 90)
hospital [HOSPiTeL] 65 (Sec 73)
hot [HOT] 28 (Sec 18)
hotel [HOUTEL] 27 (Ex 12)
hour [AUA] 32 (Ex 21)
house [HAUS] 23 (Sec 10)
housework [HAUSWERK] 110 (Sec 127)
how [HAU] 21 (Sec 8)
how much 26 (Sec 15)
hundred [HANDReD] 42 (Sec 39)
hungry [HANGGRI] 112 (Sec 129)
hurry [HARI] 112 (Ex 126)
hurt [HERT] 81 (Ex 91)
husband [HAZBeND] 56 (Sec 61)

I [AI] 18 (Sec 1)
ice [AIS] 130 (Ex 150)
idea [AIDIA] 28 (Sec 18)
identify [AIDENTiFAI] 82 (Sec 92)
idiot [iDIeT] 63 (Conv)
if [iF] 114 (Sec 124), 114 (Sec 131), 118 (Sec 136)
ill [iL] 76 (Ex 86)
important [iMPORTeNT] 66 (Sec 74)
in [iN] 20 (Ex 4), 23 (Ex 8)
incompetent [iNKOMPeTeNT] 122 (Sec 140)
inform [iNFORM] 83 (Ex 94)
information [iNFeMEICHeN] 109 (Conv)
initial [iNiCHeL] 137 (Conv)
injure [iNDZHA] 106 (Sec 121)
injury [iNDZHeRI] 140 (Ex 162)
insect [iNSEKT] 53 (Sec 54)
instead [iNSTED] 121 (Conv)
insult [iNSALT, eNSALT] 97 (Conv)
insurance [iNCHUAReNS] 73 (Ex 82)
intention [eNTENCHeN] 150 (Ex 175)
interesting [iNTReSTiNG] 37 (Conv)
interrupt [iNTeRAPT] 132 (Sec 154)
into [iNTu] 45 (Sec 44)
invite [iNVAIT] 46 (Sec 45)
is [iZ] 18 (Sec 2)
it [iT] 18 (Sec 1)
Italian [iTAELYeN] 18 (Ex 1)
its [iTS] 33 (Sec 24)

jacket [DZHAEKeT] 136 (Sec 158)
January [DZHAENYuRI] 60 (Sec 66)
jersey [DZHERZI] 52 (Sec 53)
jeweller [DZHUALA] 88 (Sec 102)
job [DZHOB] 29 (Ex 16)

join [DZHOIN] 102 (Sec 115)
joke [DZHOUK] 124 (Ex 141)
juice [DZHUS] 59 (64 Conv)
June [DZHUN] 60 (Sec 66)
July [DZHULAI] 60 (Sec 66)
just [DZHAST] 31 (Conv)

karate [KeRARTI] 136 (Sec 158)
keep [KIP] 81 (Ex 92)
key [KI] 129 (Ex 147)
kick [KiK] 41 (Conv)
kill [KiL] 61 (Ex 67)
kilo [KILou] 93 (Sec 107)
kilogram [KiLeGRAEM] 93 (Sec 107)
kilometre [KiLeMITA, KiLOMiTe] 84 (Sec 95)
kitchen [KiTCHeN] 106 (Sec 121)
knew [NYU] 50 (Sec 50)
knife [NAIF] 130 (Sec 152)
know [NOU] 27 (Conv), 28 (Sec 20)

lady [LEIDI] 26 (Ex 11)
lamb [LAEM] 145 (Ex 168)
land [LAEND] 56 (Ex 59)
language [LAENGGOuiDZH] 63 (Conv)
last [LARST, LAEST] 60 (Sec 65)
late [LEIT] 34 (Ex 24)
laugh [LARF, LAEF] 81 (Ex 92)
learn [LERN] 140 (Ex 163)
least [LIST] 100 (Sec 114)
leave [LIV] 33 (Ex 23)
left [LEFT] 59 (Ex 64), 98 (Sec 113)
leg [LEG] 77 (Sec 87)
lemon [LEMeN] 59 (Conv)
lemonade [LEMeNEID] 29 (Conv)
lend [LEND] 122 (Ex 139)
less [LES] 78 (Sec 88)
let [LET] 33 (Ex 23), 54 (Sec 57)
letter [LETA] 69 (Ex 76)
library [LAIBRI, LAIBReRI] 141 (Conv)
licence [LAISeNS] 89 (Conv)
lie [LAI] 128 (Ex 146)
life [LAIF] 73 (Ex 81)
lift [LiFT] 115 (Conv)
light [LAIT] 36 (Sec 29), 51 (Ex 51)
like [LAIK] 28 (Ex 14), 80 (Sec 90)
limit [LiMiT] 93 (Ex 105)
listen [LiSeN] 115 (Conv)
litre [LITA] 93 (Sec 107)
little [LiTL] 43 (Sec 41)
live [LiV] 22 (Sec 9)
living [LiViNG] 106 (Sec 121)
long [LONG] 86 (Sec 99)
look [LUK] 29 (Ex 16), 73 (Ex 82)
lose [LUZ] 93 (Ex 105)
lost [LOST] 118 (Ex 134)
lot [LOT] 43 (Conv)
loud [LAUD] 116 (Sec 134)
love [LAV] 94 (Sec 108)
luck [LAK] 128 (Ex 146)
lucky [LAKI] 73 (Conv)
luggage [LAGeDZH] 95 (Sec 108)
lunch [LANTCH] 28 (Ex 13)

machine [MeCHIN] 22 (Ex 6)
mad [MAED] 48 (Ex 46)
Madam [MAEDeM] 154 (Sec 182)
made [MEID] 82 (Sec 93)
madly [MAEDLI] 82 (Sec 92)
magic [MAEDZHiK] 46 (Sec 45)
magnificent [MeGNiFiSeNT] 57 (Ex 62)
mail [MEIL] 125 (Conv)
make [MEIK] 110 (Sec 127)
make-up [MEIKAP] 139 (Sec 163)
man [MAEN] 18 (Ex 1)
manage [MAENeDZH] 65 (Conv)
manager [MAENeDZHA] 41 (Ex 38)
maniac [MEINIAEK] 80 (Sec 90)
many [MENI] 29 (Ex 16)
marble [MARBL] 134 (Sec 156)
March [MARTCH] 60 (Sec 66)
mark [MARK] 134 (Ex 153)
marry [MAERI] 158 (Ex 182)
marvellous [MARVeLeS] 67 (Conv)
material [MeTIARIeL] 107 (Conv)
maternity [MeTERNiTI] 86 (Sec 98)
matter [MAETA] 142 (Sec 168)
May [MEI] 60 (Sec 66)
may [MEI] 62 (Sec 68)
maybe [MEIBI] 61 (Conv)
me [MI] 28 (Sec 19)
mean [MIN] 27 (Conv), 108 (Ex 122)
meat [MIT] 101 (Conv)
meet [MIT] 70 (Ex 77)
men [MEN] 24 (Sec 11)
menu [MENYU] 61 (Ex 67)
message [MESeDZH] 28 (Ex 14)
met [MET] 70 (Ex 77)
metallurgy [METAELeDZHI] 83 (Conv)
metre [MITA] 93 (Sec 107)
mile [MAIL] 84 (Sec 95)
military [MiLiTRI] 73 (Ex 82)
milk [MiLK] 23 (Conv)
millimetre [MiLiMITA] 88 (Sec 101)
million [MiLYeN] 44 (Sec 42)
mind [MAIND] 142 (Sec 168)
mine [MAIN] 56 (Sec 59)
minute [MiNeT] 67 (Conv)
mirror [MiRA] 82 (Sec 92)
Miss [MiS] 156 (Sec 184)
miss [MiS] 142 (Ex 165)
mistake [MiSTEIK] 110 (Sec 127)
Mister [MiSTA] 157 (Sec 184)
moment [MOUMeNT] 30 (Sec 22)
money [MANI] 37 (Ex 31)
Monday [MANDI] 23 (Ex 8)

month [MANTH] 60 (Sec 66)
more [MOR] 47 (Sec 46)
morning [MORNiNG] 20 (Sec 6)
most [MOUST] 100 (Sec 114)
mother [MADHA] 23 (Conv)
mountain [MAUNTeN] 66 (Ex 73)
mouth [MAUTH] 104 (Sec 119)
move [MUV] 83 (Conv)
movie [MUVI] 151 (Ex 177)
Mr [MiSTA] 154 (Sec 182)
Mrs [Misiz] 156 (Sec 184)
Ms [MeZ, MiZ] 156 (Sec 184)
much [MATCH] 39 (Sec 33)
murder [MERDA] 148 (Ex 173)
muscle [MASeL] 120 (Sec 138)
music [MYUZiK] 35 (Conv)
must [MAST] 48 (Sec 48)
my [MAI] 23 (Conv)

name [NEIM] 50 (Ex 49)
natural [NAETCHeReL] 131 (Ex 151)
near [NIA] 61 (Conv)
neck [NEK] 77 (Sec 87)
need [NID] 94 (Sec 108)
Négation 18 (Sec 3), 28 (Sec 20), 50 (Sec 51)
neighbour [NEIBA] 143 (Ex 167)
neither [NAIDHA, NIDHA] 64 (Sec 72)
nephew [NEVYU] 56 (Sec 61)
nerve [NERV] 113 (Sec 130)
never [NEVA] 34 (Sec 25)
new [NYU] 99 (Conv)
news [NYUZ] 151 (Ex 176)
newsagent [NYUZEIDZHeNT] 69 (Sec 77)
newspaper [NYUSPEIPA] 106 (Sec 121)
next [NEKST] 26 (Ex 12)
nice [NAIS] 49 (Conv)
niece [NIS] 56 (Sec 61)
night [NAIT] 20 (Sec 6)
nine [NAIN] 20 (Sec 7)
nineteen [NAINTIN] 30 (Sec 21)
ninety [NAINTI] 42 (Sec 39)
ninth [NAINTH] 54 (Sec 56)
no [NOU] 19 (Ex 3)
nobody [NOUBODI] 61 (Conv)
noise [NOIZ] 63 (Sec 70)
Nombres 20 (Sec 7), 30 (Sec 21), 42 (Sec 39), 44 (Sec 42), 54 (Sec 56), 58 (Sec 63), 60 (Sec 65), 88 (Sec 101)
none [NAN] 64 (Sec 72)
nor [NOR] 141 (Sec 166)
normal [NORMeL] 27 (Conv)
north [NORTH] 98 (Sec 113)
nose [NOUZ] 104 (Sec 119)
not [NOT] 18 (Sec 3)
note [NOUT] 87 (Sec 100)
nothing [NATHiNG] 34 (Sec 26)
notice [NOUTiS] 145 (Sec 170)
November [NeVEMBA] 60 (Sec 66)
now [NAU] 73 (Ex 81)
number [NAMBA] 38 (Sec 32)
nurse [NERS] 157 (Sec 184)
nylon [NAILON] 86 (Sec 99)

obsession [eBSECHeN] 57 (Ex 62)
obviously [OBVIeSLI] 27 (Conv)
occasion [eKEIZHeN] 65 (Ex 72)
o'clock [OUKLOK, eKLOK] 41 (Ex 37)
October [eKTOUBA] 60 (Sec 66)
of [OV, eV] 18 (Ex 1)
off [OF] 49 (Conv)
offence [eFENS] 143 (Conv)
office [OFiS] 69 (Sec 77)
officer [OFeSA] 157 (Sec 184)
official [OFiCHeL] 91 (Conv)
often [OFeN] 29 (Ex 16)
OK [OU KEI] 21 (Conv)
oil [OIL] 95 (Sec 108)
old [OULD] 61 (Conv)
on [ON] 25 (Ex 9)
once [OUANS] 70 (Sec 78)
one [OUAN] 20 (Sec 7)
one-way [OUAN OUEI] 71 (Ex 79)
only [OUNLI] 40 (Ex 36)
open [OUPeN] 61 (Sec 67)
opposite [OPeZiT] 148 (Sec 174)
or [OR] 25 (Conv)
orange [OReNDZH] 29 (Conv)
order [ORDA] 57 (Conv)
organize [ORGeNAIZ] 145 (Conv)
other [ADHA] 40 (Sec 35)
otherwise [ADHAOUAIZ] 146 (Sec 173)
ought [ORT] 122 (Sec 141)
our [AUA] 33 (Sec 24)
ours [AUAZ] 56 (Sec 59)
out [AUT] 45 (Sec 44)
outside [AUTSAID] 149 (Ex 174)
over [OUVA] 44 (Ex 42)
Ow [AU] 77 (Conv)
own [OUN] 98 (Sec 112), 144 (Sec 170)

packet [PAEKeT] 125 (Conv)
paid [PEID] 50 (Sec 50)
pain [PEIN] 155 (Conv)
paint [PEINT] 149 (Ex 174)
pale [PEIL] 43 (Conv)
parent [PEAReNT] 33 (Ex 23)
park [PARK] 45 (Ex 43)
parrot [PAEReT] 63 (Conv)
Participes 34 (Sec 26), 36 (Sec 28), 68 (Sec 76), 70 (Sec 79), 82 (Sec 93), 96 (Sec 110), 103 (Sec 116), 104 (Sec 118), 121 (Sec 139), 128 (Sec 148), 132 (Sec 154–5), 142 (Sec 169–70), 148 (Sec 175)
party [PARTI] 50 (Ex 49)

run [RAN] 133 (Conv)
rush [RACH] 143 (Conv)

sack [SAEK] 138 (Ex 160)
safe [SEIF] 66 (Sec 74)
said [SED] 49 (Sec 49)
salad [SAELeD] 41 (Ex 37)
sales [SEILZ] 156 (Sec 184)
salmon [SAEMeN] 69 (Conv)
same [SEIM] 40 (Sec 35)
sandwich [SAENouiDZH] 31 (Conv)
satisfactory [SAETeSFAEKTRI] 127 (Ex 145)
Saturday [SAETeDI] 23 (Ex 8)
sausage [SOSiDZH] 57 (Conv)
save [SEIV] 37 (Ex 31)
saw [SOR] 52 (Sec 52)
say [SEI] 32 (Ex 20)
says [SEZ] 44 (Sec 43)
school [SKUL] 42 (Ex 39)
scream [SKRIM] 114 (Sec 131)
sea [SI] 93 (Ex 105)
seat [SIT] 35 (Conv)
second [SEKeND] 54 (Sec 56)
secret [SIKReT] 128 (Sec 148)
see [SI] 30 (Sec 22)
seem [SIM] 62 (Ex 69)
seldom [SELDeM] 136 (Ex 157)
self [SELF] 80 (Sec 91)
sell [SEL] 117 (Conv)
send [SEND] 55 (Conv)
sensible [SENSeBL] 145 (Sec 170)
September [SePTEMBA] 60 (Sec 66)
serious [SIARIeS] 42 (Ex 39)
serve [SERV] 101 (Conv)
service [SERViS] 98 (Ex 109)
seven [SEVeN] 20 (Sec 7)
seventeen [SEVeNTIN] 30 (Sec 21)
seventh [SEVeNTH] 54 (Sec 56)
seventy [SEVeNTI] 42 (Sec 39)
sex [SEKS] 109 (Conv)
she [CHI] 18 (Sec 1)
shine [CHAIN] 123 (Sec 142)
ship [CHiP] 75 (Sec 85)
shirt [CHERT] 134 (Sec 156)
shock [CHOK] 92 (Ex 104)
shoe [CHU] 69 (Conv)
shop [CHOP] 69 (Sec 77)
shopping [CHOPiNG] 36 (Sec 28)
short [CHORT] 86 (Sec 99)
should [CHuD] 62 (Sec 68)
show [CHOU] 129 (Conv)
shut [CHAT] 34 (Ex 25)
sick [SiK] 43 (Conv)
signature [SiGNeTCHA] 139 (Sec 163)
silly [SiLI] 33 (Conv)
simple [SiMPL] 138 (Ex 159)
since [SiNS] 76 (Sec 86)
sing [SiNG] 97 (Conv)
single [SiNGGL] 127 (Conv)
Sir [SER] 154 (Sec 182)
sister [SiSTA] 33 (Ex 23)
sit [SiT] 34 (Ex 25)
site [SAIT] 45 (Conv)
situation [SiTYUEICHeN] 79 (Ex 89)
six [SiKS] 20 (Sec 7)
sixteen [SiKSTIN] 25 (Conv)
sixth [SiKSTH] 54 (Sec 56)
sixty [SiKSTI] 42 (Sec 39)
ski [SKI] 127 (Ex 145)
sleep [SLIP] 72 (Sec 81)
slow [SLOU] 66 (Sec 74)
small [SMORL] 27 (Conv)
smell [SMEL] 120 (Sec 138)
smile [SMAIL] 137 (Sec 160)
smoke [SMOUK] 73 (Ex 81)
smoked [SMOUKT] 69 (Conv)
snack [SNAEK] 109 (Ex 124)
snow [SNOU] 123 (Sec 142)
so [SOU] 41 (Ex 38)
sociable [SOUCHeBL] 81 (Conv)
society [SOSAIeTI] 83 (Conv)
sociology [SOUSIOLeDZHI] 111 (Ex 125)
some [SAM] 37 (Sec 31)
somehow [SAMHAU] 58 (Sec 64)
someone [SAMOUAN] 37 (Sec 31)
something [SAMTHiNG] 37 (Sec 31)
sometimes [SAMTAIMZ] 35 (Sec 25)
son [SAN] 56 (Sec 61)
song [SONG] 97 (Conv)
soon [SUN] 61 (Ex 67)
sorry [SORI] 31 (Conv)
sort [SORT] 73 (Ex 82)
sound [SAUND] 120 (Sec 138)
soup [SUP] 28 (Ex 13)
south [SAUTH] 29 (Ex 16)
space [SPEIS] 143 (Conv)
Spanish [SPAENiCH] 23 (Conv)
spare [SPEA] 145 (Ex 168)
speak [SPIK] 22 (Ex 6)
special [SPECHeL] 121 (Conv)
speed [SPID] 93 (Ex 105)
spell [SPEL] 137 (Conv)
spend [SPEND] 154 (Ex 179)
spoke [SPOUK] 150 (Sec 178)
spoon [SPUN] 130 (Sec 152)
sport [SPORT] 27 (Conv)
square [SKOuEA] 93 (Sec 107), 98 (Ex 109)
stairs [STEAZ] 103 (Sec 117)
start [START] 48 (Ex 45)
starter [STARTA] 130 (Sec 152)
station [STEICHeN] 84 (Sec 97)
stay [STEI] 29 (Ex 16)
steak [STEIK] 52 (Ex 52)

twenty [TOUENTI] 30 (Sec 21)
twice [TOUAIS] 70 (Sec 78)
two [TU] 20 (Sec 7)

un- [AN, eN] 110 (Sec 126)
uncle [ANKeL] 56 (Sec 61)
under [ANDA] 44 (Sec 43)
understand [ANDESTAEND] 22 (Ex 6)
unfriendly [ANFRENDLI] 62 (Sec 68)
union [YUNIeN] 88 (Sec 102)
university [YUNeVERSiTI] 51 (Ex 51)
unless [ANLES, eNLES] 114 (Sec 131)
unofficial [ANeFiCHeL] 91 (Conv)
until [eNTiL] 102 (Sec 115)
up [AP] 127 (Sec 147)
us [AS] 28 (Sec 19)
use [YUZ] 22 (Ex 6)
used [YUST] 96 (Sec 109)
useful [YUSFeL] 97 (Ex 107)
usual [YUZHeL] 67 (Conv)

vacation [VeKEICHeN] 106 (Ex 119)
valley [VAELI] 26 (Ex 11)
value [VAELYU] 125 (Conv)
Verbes 22 (Sec 9), 36 (Sec 28), 46 (Sec 45), 49 (Sec 49–53), 68 (Sec 76), 70 (Sec 79), 82 (Sec 93), 96 (Sec 110), 104 (Sec 118), 121 (Sec 139), 134 (Sec 155), 142 (Sec 169), 148 (Sec 175), 161 (Sec 189)
Verbes 'anormaux' 30 (Sec 22), 48 (Sec 48), 61 (Sec 67–8), 122 (Sec 141), 152 (Sec 180), 158 (Sec 186)
very [VERI] 28 (Sec 18)
vinegar [ViNeGA] 95 (Sec 108)
visa [VIZA] 55 (Ex 58)
visit [ViZiT] 54 (Ex 55)
visitor [ViZiTA] 65 (Conv)
voice [VOIS] 80 (Sec 90)
vote [VOUT] 148 (Ex 172)

wait [ouEIT] 29 (Ex 15)
waiter [ouEITA] 29 (Conv)
wake [ouEIK] 150 (Sec 178)
walk [ouORK] 45 (Ex 43)
wall [ouORL] 148 (Sec 174)
want [ouONT] 29 (Ex 16)
war [ouOR] 106 (Ex 119)
warm [ouORM] 99 (Conv)
was [ouOZ] 42 (Sec 38)
wash [ouOCH] 51 (Ex 51)
watch [ouOTCH] 22 (Ex 6)
water [ouORTA] 95 (Sec 108)
way [ouEI] 32 (Ex 20)
we [ouI] 18 (Sec 1)
wear [ouEA] 37 (Ex 29)
weather [ouEDHA] 80 (Sec 90)
Wednesday [ouENZDI] 48 (Sec 47)
week [ouIK] 25 (Ex 9)
weekend [ouIKEND] 42 (Ex 39)
welcome [ouELKeM] 87 (Conv)
well [ouEL] 19 (Conv), 67 (Ex 74)
went [ouENT] 49 (Sec 49)
were [WER] 42 (Sec 38)
west [ouEST] 98 (Sec 113)
wet [ouET] 48 (Ex 45)
what [ouOT] 26 (Sec 15)
whatever [ouOTEVA] 126 (Sec 146)
when [ouEN] 26 (Sec 15)
where [ouEA] 26 (Sec 15)
which [ouiTCH] 53 (Sec 54)
while [ouAIL] 106 (Sec 121)
whisky [ouiSKI] 69 (Conv)
white [ouAIT] 36 (Sec 29)
who [HU] 41 (Sec 37)
whose [HUZ] 56 (Sec 60)
why [ouAI] 41 (Sec 37)
wife [ouAIF] 26 (Sec 16)
will [ouiL] 30 (Sec 22)
win [ouiN] 141 (Ex 164)
wind [ouiND] 102 (Sec 142)
window [ouiNDOU] 45 (Ex 43)
wine [ouAIN] 41 (Ex 37)
wish [ouiCH] 124 (Sec 143)
with [ouiDH] 23 (Ex 8)
without [ouiDHAUT] 33 (Conv)
wives [ouAIVZ] 26 (Sec 16)
woman [ouuMeN] 23 (Sec 10)
women [ouiMiN] 24 (Sec 11)
wonder [ouANDA] 151 (Ex 176)
won't [ouOUNT] 30 (Sec 22)
word [ouERD] 68 (Sec 76)
work [ouERK] 22 (Sec 9)
worker [ouERKA] 86 (Ex 97)
world [ouERLD] 153 (Ex 178)
worry [ouARI] 62 (Ex 68)
worse [ouERS] 78 (Sec 88)
worst [ouERST] 100 (Sec 114)
worth [ouERTH] 89 (Ex 109)
would [ouuD] 40 (Sec 36)
write [RAIT] 55 (Conv)
wrong [RONG] 41 (Conv)

year [YIA] 71 (Sec 79)
yellow [YELOU] 36 (Sec 29)
yen [YEN] 43 (Ex 40)
yes [YES] 19 (Ex 3)
yesterday [YESTeDI] 44 (Ex 42)
yet [YET] 70 (Sec 79)
you [YU] 18 (Sec 1)
young [YANG] 33 (Ex 23)
your [YOR] 33 (Sec 24)
yours [YORZ] 56 (Sec 59)
yourself [YORSELF] 80 (Sec 91)